Weerborstels

De tandeloze tijd
Een intermezzo

Dit Boekenweekgeschenk wordt u
aangeboden door uw boekverkoper

A.F.Th. van der Heijden
Weerborstels

Een uitgave van de
Stichting Collectieve Propaganda
van het Nederlandse Boek
ter gelegenheid van de
Boekenweek 1992

Weerborstels werd door Em. Querido's Uitgeverij B.V. geproduceerd voor de Stichting Collectieve Propaganda van het Nederlandse Boek in het kader van de Boekenweek 1992.

ISBN 90 70066 963

Voor mijn zoon Tonio

Inhoud

Robby's weerborstels

Ik ben nooit een schoenfetisjist geweest, god nee, verre van dat; ik heb niks met schoenen, althans niet meer dan de meeste mensen sinds onze voorouders hebben besloten dat dat rechtop lopen van ze niet zo maar een gril was. Dat neemt niet weg dat ik aan het eind van een mooie junimiddag in '61 bijna verliefd, in ieder geval behoorlijk weemoedig, in onze achtertuin aan een hele rits verloren kinderschoentjes stond te denken, allemaal zo tussen maatje 27 en 38. Aan een heleboel laarsjes van die maten ook.

Ik was net elf geworden, en het was al een hele tijd aan de gang, onstuitbaar. Van steeds meer daken, uit de schaduw van steeds meer schoorstenen schoot het op, het kale onkruid, het dorre gewas van televisieantennes. Tot voor kort had je hooguit vier huizen per straat met televisie, zoals het hoorde; de onze, de Textielstraat, had er twee, meer niet: het dichtstbijzijnde liet op woensdagmiddag zijn achterdeur open voor de kinderen uit de buurt die naar het kinderprogramma wilden komen kijken, naar Indra Kamadjojo met zijn hertje Kantjil, en naar *De Telescoop* en de rest. Ze deden niet flauw, die mensen, maar een voorwaarde was dat je, weer of geen weer, je schoenen of je laarzen in de keuken achterliet. Ze stonden altijd keurig op een rij naast het fornuis... tien, twaalf, dertien paar... Schoentjes en laarsjes door elkaar heen. Als het erg regende, stonden ze soms in een grillig plasje. Had het gesneeuwd, dan plakte er met as vermengde sneeuw rond de hakken en lag het plasje er na afloop van het programma pas.

We ontwikkelen soms rare gewoontes. Ik legde het erop aan als laatste binnen te komen, en in de keuken te blijven dralen enkel en alleen om de bekoring van dat druipende stilleven te ondergaan, de prikkelende verwachting die uitging van het natte schoeisel dat op wonderbaarlijke wijze het beeld opriep van de kinderen binnen, die op de grond, met onder zich gevouwen kousevoetjes, al naar *De Telescoop* zaten te kijken.

Het waren er de laatste tijd steeds minder geworden, van die schoentjes; de rij werd kleiner. De een na de ander kregen ze thuis televisie. Ze bleven weg. En, geen ontkomen aan, op een zonnige zaterdagmiddag in juni stond ik, samen met mijn vijf jaar jongere neefje Robby, in onze achtertuin omhoog te kijken naar het dak, waar oom Robert ook voor ons een antenne aan het oprichten was. De pannen klepperden onder zijn zolen, toen hij de grote hark naar de schoorsteen droeg om hem in de speciaal daartoe aangebrachte beugels te laten zakken. De schoenen van oom Robert veranderden het dak in een cake-walk, of in een sjimmie, zoals bij ons die kermisattractie heette waar ze mij met geen stok op kregen. Hij liep even onverschrokken op het golvende dak rond als een zeeman tijdens een storm over het dek van het slingerende schip. Niet dat het zijn vak was... Behalve een verdienstelijk wieleramateur was oom Robert een amateur op velerlei gebied, en niet zozeer een vakman als wel een man zonder hoogtevrees of wat voor angst ook, dit ondanks het gemis aan licht in zijn ene oog.

'Kiek nou, d'n dolle...' had Robby op z'n voorlijke Eindhovense afbektoontje al een paar keer gezegd, telkens wanneer zijn vader een onbezonnen beweging maakte.

'Robbertje?' Dat had ik van zijn halfduitse moeder; ze sprak het uit als in 'robbertje vechten'.

'Niet schelden, schele. Ik ben Robby.'

'Hee, Robby...'

'Ja, schreeuw maar niet zo. Ik heb ook een moeder gehad.' (Het was een van zijn favoriete uitdrukkingen. Hij bezigde hem zelfs tegenover zijn eigen moeder, wanneer die hem riep.)

'Vind je dat nou niet eng, Robby, als jouw papa zo hoog op het dak staat?' Ik voelde me, ondanks die voorlijkheid van hem, aan het leeftijdsverschil verplicht een toon aan te slaan als van een volwassene tegenover een kind.

'Wâ'ne quatsch... Zeik toch niet.'

Al de hele middag beantwoordde hij alles wat ik zei met 'quatsch!'. Hij sprak het vol verachting uit als 'kwats!', wat zelfs uit die kindermond als een zweepslag klonk. 'Kwats! Ga toch spelen!' Thuis was hij gewend naar de onbehouwen wielermaten van zijn vader te luisteren, die zonder uitzondering grof in de mond waren. Robby imiteerde hun uitdrukkingen, hun gevuilbek, en dat leverde hem hun hilarische bijval op. Oom Robert stak er geen stokje voor; ongetwijfeld vond hij het zelf prachtig, hij, die als jongen nooit zijn bek open had gedaan. Robby's 'kwats!' mocht dan oorspronkelijk een imitatie zijn, hij had het zich volledig toegeëigend. Je kon nog net aan hem horen dat hij met zijn grotemensenpraat veel gelach had geoogst, maar de behaagzucht was verdwenen:

het jongetje leek te menen wat hij zei, tenminste voor zover hij de draagwijdte van zijn woorden kon bevatten.

We bleven een tijdje zwijgend zijn vaders verrichtingen daarboven gadeslaan. Ik zag hoe daar op het dak een heel nieuw tijdperk werd geïnstalleerd – niet voor de wereld, voor mezelf. Daar ging ik weer. Kinderschoentjes op een rij in de keuken, wachtend op het einde van het kinderuurtje... Kwam nooit meer terug. Nooit zou ik meer aan de voeten zitten van dat roze en zilverwitte grootmoedertje, dat al nauwelijks een mens meer was, eerder een bejaarde engel, gevangen in een met leer beklede ijzeren stellage, een soort kooi, die haar witbehaarde kin ophield. Die zacht wiegelende hark daar, die zijn draai nog niet gevonden had, veroordeelde mij voortaan tot de eigen huiskamer.

Kinderschoentjes, maatje 27 tot 38... Ik ging er toch niet om staan grienen, zeker? Ik liet de hark voor wat hij was en keek neer op Robby, die vlak naast me stond, in het volle zonlicht. In het gemillimeterde haar, lichtblond, waren duidelijk zijn weerborstels zichtbaar; de zon legde er een kolkende glans over, die deed denken aan gepolitoerd aluminium. Robby's aandacht, die aldoor, met een goed gecamoufleerde bezorgdheid, op zijn roekeloze vader gericht was geweest, werd heel even afgeleid door een buurjongetje dat de aangrenzende tuin in liep. Toen Robby zijn hoofd die kant op wendde, deed het zonlicht nog iets extra's met de weerborstels: er ontstond een kleine draaikolk van licht, vergelijkbaar met de glinstering die soms over de spaken van een sneldraaiend fietswiel komt te liggen en schoksgewijs en traag tegen de richting van de spaken *in* beweegt.

Nu ik toch bijna stond te snotteren om die kinderschoentjes, kon ik de verleiding niet weerstaan het jongetje over zijn bol te aaien. Het kortgeknipte haar, zonwarm, voelde aan als zacht, borstelig nylon. Robby trok met een ruk zijn hoofd onder mijn hand uit. 'Wa's dâ nou voor 'ne quatsch? Ga jullie moeder aan d'r kop liggen frunniken!'

Toen we de blik weer omhoog richtten – hij kwaad, ik ontdaan – bleek zijn vader opeens verdwenen. Het karwei was niet af: de antenne hing ietwat scheef in de beugels die om de schoorsteen waren geslagen en moest nog met spankabels worden vastgezet. We bleven een tijdje zo staan kijken, tot ik er kramp van in m'n nek kreeg, en Robby misschien ook wel. Oom Robert kwam niet terug.

'Ik ga maar 's op straat kijken,' zei Robby verbeten, maar zonder een spoor van paniek, 'offie d'r niet vanaf geflikkerd is.'

En gelaten, zonder haast te maken, de kleine vuisten diep weggestopt in de zakken van zijn tuinbroek, liep hij met onbewogen smoeltje om het huizenblok heen. Ik besefte dat hij in weerwil van zijn bravoure ('Kiekt die'n dolle nou weer 's stoer doen') steeds al niet helemaal gerust was geweest op een goede afloop van de operatie. Een kleine, compromisloze volwassene. En dat terwijl ik, vijf jaar ouder dan hij, al die tijd op het grienerige af had staan treuren om schoentjes waar de dragers al lang waren uitgegroeid, als die dingen tenminste al niet veel eerder afgetrapt en wel met het vuilnis waren meegegeven...

Had ik die middag de eerste symptomen van zijn fatale autonomie gesignaleerd? Al was het me allemaal nog niet zo duidelijk, ik had het onaangename gevoel dat Robby niet alleen de schertsende ruwemannentaal van zijn vaders wielervrienden had overgenomen, maar er ook, anders dan zij in hun vrijblijvendheid, de uiterste consequentie aan verbond. Nog zonder dat hij het zelf wist: het was hem ernst, Robby.

Natuurlijk was zijn vader niet van het dak gevallen, maar dat maakte nauwelijks verschil. Er had zich iets in gang gezet – waarschijnlijk eerder al.

Nadat het testbeeld in alle helderheid verschenen was, en van eivormig op 'praktisch rond' was afgesteld, wilde oom Robert geen minuut langer blijven. Zo was hij. Geen zittende gezelligheid. Tante Karin nodigde me uit 'volgende maand, als de school is afgelopen' een week of twee te komen logeren, 'dan kun je met ons Robbertje spelen'.

'Spelen...!' herhaalde Robby; hij spuwde het woord bijna uit. 'Wanne kwats!'

Als bruidsjonker

Sinds Robert op zijn zesde door een zus met een haaknaald in het linkeroog was gestoken, had hij de naam een 'schauw bist' *te zijn, een schuw dier. Met al zijn schuwheid had hij een prachtige manier gevonden om zich voor de mensen te verbergen... De stalen punt had in de iris een gaaf ruitvormig, melkwit vlekje achtergelaten, dat – sterk vergroot – in het zwart voor hem uit danste. Die vlek rende hij zo hard hij kon achterna, als een ezel het stuk schoenzool aan de hengel van de voerman.*

De gevarendriehoek, *De tandeloze tijd 2*

De meeste mensen hebben wel iets – een bochel, een onwelriekend geheim – wat maakt dat ze af en toe weg willen kruipen in de aarde. Bij oom Robert, de jongste van de zeven 'Bertjes' Egberts, was het zijn doorstoken oog waardoor hij het liefst permanent onzichtbaar had willen zijn. Hij zocht het in de snelheid. Maar een mens moet ook eten, nietwaar, en zich voortplanten. En dan nog: je wordt ouder en je gaat langzamer, en zo loop je het gevaar steeds zichtbaarder te worden. Op een dag ben je al zo traag dat je niet eens meer tijdig het hoofd weet af te wenden wanneer iemand met zijn vinger naar je oog wijst en zegt: 'Je hebt daar een viesje. Een wit vlekje.'

Er was nog iets wat onzichtbaarheid, en dus snelheid, tot Roberts levensdoel zou maken. Op zijn veertiende raakte hij, terwijl thuis zijn moeder op sterven lag, betrokken bij wat in de familie altijd 'een sexschandaal' is genoemd, maar waarover verder gezwegen wordt. Ja, wie doorvraagt krijgt als toegift nog te horen dat het 'iets was van jongens onder mekaar – vervelendigheid', meer niet. Ik kan me nauwelijks voorstellen dat het alles bij elkaar schokkender was dan wat er op die leeftijd tussen Thjum en mij en Flix voorviel. Toch werd Robert Egberts voor een vol jaar op een of andere tuchtschool geplaatst, waar de kleine zonde alle gelegenheid kreeg tot een ware levensvervulling uit te groeien. Hij verliet de tuchtschool als een wees van vijftien, want niet lang na zijn moeder was ook zijn vader gestorven. Vanaf dat moment begon Robert zich zoveel mogelijk onzichtbaar te maken. Van het geld dat hij verdiende op de steenbakkerij, en dat grotendeels verdween in de huishoudpot van zijn zusters, spaarde hij een renfiets bij elkaar. Als hij niet werkte, trainde hij. Thuis zagen ze hem nooit, op die paar minuten per dag na die het hem kostte om zijn warme eten naar binnen te schrokken. Het enige wapenfeit uit die dagen dat de schimmige figuur nog enig reliëf geeft, was het stelen van een aardappel van het bord van zijn broer; hij had het voedsel nog niet aan zijn vork geprikt of de broer haalde met de zijne naar hem uit. Een litteken van vier puntjes op de rug van Roberts hand bewees dat hij indertijd niet uitsluitend onzichtbaar was. ('Het forket bleef uit z'n eigen recht overeind staan, zo diep staken de tanden in z'n vlees.')

Sneller, minder zichtbaar – het werd menens. Hij ging aan wedstrijden meedoen, eerst bij de nieuwelingen nog. Als zo iemand, wiens hoogste streven onzichtbaarheid is, toch aan de vrouw komt, moet dat wel via het parcours gebeuren. Karin heette ze, en ze was de dochter van de bestuurder van de bezemwagen, een Duitser die in Eindhoven woonde. Toen de verliefdheid al niet meer te keren was, en een verloving in zicht kwam, bekende Karin haar wielrenner dat zij als meisje van twaalf door een val uit een boom, waarbij zij meters lager schrijlings op een tak terechtkwam (die ook nog op een ongelukkige plaats afbrak en diep zijn kam van splinters in haar stiet), 'waarschijnlijk onvruchtbaar' geworden was.

Niet alleen omdat Robert, die eindelijk eens zonder straf wilde zondigen, in haar relaas een gemakkelijk en gratis anticonceptiemiddel bleek te hebben ontdekt, ook omdat de trouwplannen almaar serieuzer werden, raadpleegde Karin samen met haar moeder een gynaecoloog. Uitslag: 'Vrijwel zeker onvruchtbaar.' Het ontroerde vooral de vrouwen in de familie tot jankens toe dat de jongverloofden, ondanks omstandigheden die een huwelijk eigenlijk uitsloten, ervoor kozen te trouwen. Godnogaantoe, dat moest wel echte liefde zijn.

Ze vroegen me of ik, vier jaar oud, bruidsjonker wilde zijn, in een huurkostuum, naast een even oud nichtje als bruidsmeisje. Bij wijze van spreken dan: mij werd natuurlijk niks gevraagd, ze vroegen het mijn ouders, en die zeiden gretig ja, want dat scheelde weer in de kleren.

Aan mijn opleiding tot bruidsjonker bewaar ik een beschamende herinnering. De verhuurder van de bruidskleding kwam onaangekondigd aan de deur om mij de maat te nemen; het was paasvakantie, en ik logeerde bij mijn grootouders. De man werd naar hun adres doorverwezen. Eenmaal daar binnengelaten ontpopte hij zich als een kinderrover. Hij gaf te kennen 'het kleine meneertje' niet alleen de maat te willen nemen, maar 'het kleine meneertje' ook meteen maar het kostuum te zullen laten passen, en daarvoor moest 'het kleine meneertje' mee naar 'de winkel... eh... het magazijn... enfin, het magazijn achter de winkel'.

Hoezeer mijn moeder me ook altijd op het hart gedrukt had nooit met vreemde meneren mee te gaan, door oma, de gemakzucht in persoon, werd ik genadeloos aan mijn ontvoerder uitgeleverd. Ze ging zelfs zo ver mij apart te nemen om de zindelijkheid van mijn ondergoed te controleren. Net wat ze dacht: een grote, grauwgele vlek, zowel in het broekje als aan de onderkant van het hemmetje, en dat terwijl ik al lang door mijn schone goed heen was (aan sopjes en wasjes deed oma niet). De gemakzucht had haar in de loop der jaren vindingrijk gemaakt. Ze ontdeed me van mijn ondergoed en trok het me achterstevoren weer aan. De grauwgele vlek bevond zich nu, met kindergulp en al, op mijn zitvlak; van voren had ik een bollend meisjesbroekje aan, dat tamelijk zindelijk oogde. Het hemmetje spande aan de voorkant hoog onder de hals, terwijl de diep uitgesneden achterkant mij een lichte kilte tussen de schouderbladen bezorgde.

'Dan zien ze het niet, bij het passen,' legde ze uit. 'Zorg dat je steeds met je rug naar de muur staat.'

Een wijze les. 'Steeds met je rug naar de muur' – daar kon je iets mee. Nee, wat wijze lessen betrof, was mijn oma bepaald niet gemakzuchtig.

Aldus verschoond, en met mijn bovenkleren weer

aan, droeg ze me aan mijn ontvoerder over. Ik zou haar nooit terugzien. Ergens in een donker bos zou de vent me het verplichte galgemaal van chocolade toedienen, en dan... Het zou allemaal in de krant staan.

Een bos werd het niet – iets veel ergers. Mijn marteling voltrok zich voor publiek, en wat voor publiek. Een publiek zonder gezichten, zonder handen, zonder volume, en met op de plaats van de hoofden ijzeren vraagtekens. Met die vraagtekens hingen de toeschouwers, links en rechts van mij, dicht opeengepakt en roerloos aan lange stangen, als kantoormensen in het gangpad van de avondbus. Zwijgend. Van hun zwarte jassen wezen de zwaluwstaarten bewegingloos met de punten naar de grond, waar glimmend zwart gepoetste schoenen stonden, door geen voet of enkel verbonden met de streepjesbroeken die zonder de geringste knieafdruk, tweesnijdend gestreken, onder de jassen uitkwamen. Boven de vraagtekens stonden op een lange plank strenge hoge hoeden, lichtgrijs, en zo keken ze op me neer, geduldig mijn offering afwachtend.

Precies waar mama me voor gewaarschuwd had: de ontvoerder liet me mijn kleren uittrekken. 'Nee, broekje maar even aanhouden.' Zo zei de huisdokter het ook altijd, dus dat viel weer mee. Maar toen begon het pas echt. 'Zorg dat je steeds met je rug naar de muur staat.' Gemakkelijker gezegd dan gedaan, oma. De kinderlokker ontrolde een groene centimeter en liet mij, gevangen als ik was in de lussen van zijn meetlint, ronddraaien als een tol en zo kreeg ik alle hoeken en spiegels van de ruimte te zien. De toeschouwers waren in beweging gekomen en buitelden nu als zwaluwen om me heen. Ze deden me denken aan de mannen die onze oude buurman begraven hadden. Kraaien had mijn vader ze genoemd. Gingen ze me straks, als ze op me uitgekeken waren, onder de grond stoppen?

Toen ik even stil mocht staan, omdat het de lustmoordenaar behaagde zijn centimeter als een strop rond mijn hals te leggen (ik voelde hoe mijn adamsappel probeerde te ontsnappen), had ik uitzicht op een manshoge draaispiegel. Daarin was een jongetje verschenen, in ondergoed, met zijn buik naar me toe gekeerd, maar met omgedraaide nek, zodat ik tegen zijn behaarde achterhoofd aankeek. Ter hoogte van zijn oor was de grote hand zichtbaar die het hoofdje in de verkeerde stand moest hebben geplaatst. Onder aan zijn buikje droeg het jongetje een ronde, grauwgele vlek, en tegelijkertijd voelde ik diezelfde vlek op mijn billen branden ongeveer zoals een blos op wangen kon branden. Hij deed me denken aan de tekeningen waarop ik een tevoren met potlood uit de losse pols getrokken cirkel met geel krijt tot zon wilde inkleuren: hoe zuinig ik ook getekend had, altijd mengde zich wat zwart door het geel, waardoor de zon grauw werd en op de een of andere manier niet meer straalde, niet meer scheen, maar verschrompelde, licht opzoog in plaats van uitgoot. Zo'n groezelige zon had ik nu aan m'n kont hangen, duidelijk zichtbaar voor de man met de koele centimeter en voor alle gestalten die daar hooghartig en misprijzend aan hun haak hingen. Toen de man zijn meetlint weer gebruikte om me te laten tollen, deed ik al het mogelijke om met mijn rug 'naar de muur' gekeerd te blijven, maar het had geen zin: hier waren geen muren, en de grauwe zon buitelde van spiegel naar spiegel; draaiend om mijn as kwam ik hem keer op keer tegen. Totdat de ontvoerder genoeg had van het knevelen, en mij met een stem gesmoord door opeengeklemde lippen waar spelden tussen uitstaken beval een streepjesbroek en een gespleten zwarte jas aan te trekken. Toen ik me in het schandpak gehesen had, en hij, grommend dat ze op zo'n kleine maat eigenlijk niet berekend waren, de broekspijpen en de mouwen had afgespeld, drukte hij me een kleine hoge hoed op het hoofd. De grote jassen en hoeden keken toe hoe ik me weer moest uitkleden om nu eindelijk mijn gerechte straf te ondergaan.

Op de ochtend van de bruiloft kwam dezelfde man mij al vroeg kleden, gewoon waar mijn ouders bij waren. Ik kreeg een hemd aan met opstaande boord, en daaroverheen een heus vest. De broek rustte zwaar op de lakschoenen, de zwaluwstaart raakte bijna de grond. Omdat ik mijn hoge hoed de hele dag angstvallig ophield en de zwarte stok met het verzilverde gevest geen moment terzijde legde, noemde iedereen op het feest me kleine professor.

Het was een dubbel huwelijksfeest. Karin en haar zus Irene trouwden op dezelfde dag, wat in die tijd niets bijzonders was. Mijn vader en zijn broer Egbert hadden er vijf jaar eerder ook een dubbele bruiloft van gemaakt. Het drukte de kosten.

Mijn nichtje en ik hoorden bij oom Robert en tante Karin; Irene en haar bruidegom hadden een bruidsmeisje en een bruidsjonker die ik niet kende, en van wie de Egbertsen voor iedereen hoorbaar zeiden dat het lang zo'n schoon stelletje niet was. Bij het jongetje, een 'bleekscheet' met een te kleine schedel, rustte de hoge hoed op wenkbrauwen en flaporen. Het meisje, uit Duitsland, had 'spillebeentjes'; haar grote witte strik, in de kerk nog zeker twee decimeter hoog, hing al spoedig slap in het futloze blonde haar. Kortom, op Karins partij moest, anders dan op die van Irene, wel zegen rusten. Hoe kon het ook anders met een 'Bertje' van Egberts.

Van het bruidspaar bestaat een foto die in de familie als mislukt geldt, misschien omdat hij iets spontaans heeft. Karin en Robert buigen zich allebei glimlachend over het miniatuur bruidsboeket van mijn nichtje, om iets aan de linten te verschikken; ik ben van ons vieren de enige die, stram in de houding, recht in de camera kijkt, met een zeer donkere blik vanonder de hoge hoed, mijn hand losjes rustend op het gevest van de stok. Ik was me ten zeerste bewust (maar misschien verbeeld ik me dat nu maar) van de ernst van de situatie, van de tragiek van deze mensen, die gingen trouwen omdat ze elkaar lief vonden, maar die nooit kindjes zouden krijgen. Ik hield mezelf plechtig voor dat mijn nichtje en ik *daarom* dit bruidspaar moesten vergezellen: om de aandacht een beetje van de toekomstige leegte af te leiden.

Voor het diner flaneerde ik met het andere bruidsjonkertje door de straat van Karins ouders. 'Wij waren twee professors,' zei het jongetje, en probeerde voor de zoveelste keer tevergeefs zijn hoge zijje wat naar achteren te laten kantelen, zoals hij het mij had zien doen.

Aan tafel kreeg ik een groot servet om, maar ik weigerde de hoed af te zetten. We mochten kiezen tussen karbonade en biefstuk. Met karbonade was ik vertrouwd (al figureerde die thuis voornamelijk als gebogen been in de vette klauw van mijn vader); 'biefstuk' klonk mysterieuzer: een woord dat een rol speelde in de neerbuigende en tegelijk van ontzag vervulde gesprekken over 'mensen die het goed hebben'. Ik koos biefstuk. Omdat voor zoveel gasten geen voldoende grote schalen aanwezig waren, werd het vlees aangedragen in twee emmers, de karbonades in een zinken, de biefstukken in een geëmailleerde. De vettig houten greep en het hier en daar versplinterde email maakten me treurig en ontnamen de biefstuk zijn bijzonderheid. Hij bleek taai en was voor mijn melkgebit niet te vermalen. Uiteindelijk gaf mijn moeder mij haar in reepjes gesneden karbonade; zelf at ze moeizaam kauwend de biefstuk op.

Oom Robert was op zijn bruiloft somber en zwijgzaam. Hij leek slecht op zijn gemak in zijn trouwpak. Regelmatig stond hij op, en verdween dan weer voor een halfuur, niemand wist waarheen. 'Hij keek iedereen de deur uit,' zeiden ze in de familie later. Op het feest zelf scheen niemand zich daar vooralsnog aan te storen. Er werd gedronken en gezongen. De dames haakten in. Toen de moeder van de bruiden, na een paar glaasjes citroenjenever, naar de zin van haar dochters te luidruchtig en te vrijpostig werd, maakte de vrouw het kippevoergebaar van geld tellen, roepend: 'Ik heb er ook voor betaald!'

Nee, de stemming zat er goed in. Bij het vallen van de avond, toen Robert weer voor een hele poos de huiskamer verlaten had, was de aangetrouwde familie het er gedempt over eens dat de oorzaak van de onvruchtbaarheid bij hem moest worden gezocht, niet bij Karin. Hadden ze hem niet, na dat schandaal toen... in dat gesticht, of wat was het... hadden ze hem toen niet, om erger te voorkomen... he?

De zelfdoop

Van Egbert kreeg hij de opdracht, telkens wanneer het peloton voorbij kwam, heel hard 'Hup, oom Robert!' of 'Allé, Robert, zet 'm op!' te roepen. Maar in het oog kreeg hij zijn oom niet. Al wat hij gewaar werd was een langsrazende kudde gebochelden in bonte hemden, omgeven door een geur van kamferspiritus, waarmee de renners hun kuiten olieden. Albert hoorde ze briesen. De plotselinge luchtverplaatsing bonkte als een vuist tegen de jongen op. Hij verbaasde zich over het geweld dat die broze fietsjes met hun dunne bandjes uit de straatkeien wisten los te roffelen.

De gevarendriehoek, *De tandeloze tijd 2*

Op het zaterdagse wielerparcours maakte ik kennis met de snelheid die onzichtbaar maakt. En ik ontdekte de stilstand in de snelheid door te kijken naar de wielen, naar de ijle spaken, die op den duur alleen nog schenen te vonken, zonder dat hun wentelen zichtbaar werd gemaakt.

Het was een snelheid die het peloton tot een massief geheel smeedde, tot een plomp en moeizaam voertuig, waar weinig beweging in leek te zitten. Oom Robert was een kleurschakering in dat peloton, en zelfs dat niet. Hij bestond voornamelijk als *naam*, door mij, op aanmoediging van andere familieleden, en door henzelf geschreeuwd wanneer de kudde briesend voorbij roffelde. In een of ander Brabants of Vlaams gat waren ze uit verschillende windstreken bijeengekomen om hun altijd afwezige broer en zwager en oom tot de orde te roepen. Ze riepen hem toe met een heftigheid die deed vermoeden dat hij hun aan het ontsnappen was. Hun stemmen ondergingen daar een totale verandering. Wanhopig en fanatiek tegelijk, zo klonken ze.

'Ja, vasthouwe, Rob!'

Onzichtbaar te midden van zijn schuinhangende kudde kwam hij op ons afgestormd uit de met strobalen afgezette bocht. Bij het rakelings passeren – je kon ze horen vloeken en snuiven – werd hij door zijn broers en zwagers en neven toegebruld. 'Ja, Robert, blijf d'r aan hangen nou!'

Het schreeuwen, aanmoedigend bedoeld, klonk eerder dwingend en smekend, en ik moest wel concluderen dat ze hem uit een ver gebied, dat niet het hunne was, wilden terugroepen. Pas wanneer de hele meute weer van ons wegvluchtte, om tussen de strobalen van de volgende bocht te verdwijnen, ontspande de familie zich – tot het tweeledige geluid van suizen en dreunen opnieuw hoorbaar werd.

Toen hij een paar maanden na zijn sombere bruiloft op een zaterdagmiddag zijn renfiets bij ons het tuinpad op duwde, herkende ik hem met moeite, zo vanzelfsprekend was ik ervan uitgegaan dat hij voor de rest van zijn leven als een 'bruidegom' gekleed zou zijn, compleet met streepjesbroek en hoge hoed. De herfst was begonnen, dus droeg oom Robert om te trainen niet zijn dunne wedstrijdgoedje, maar coltrui en plusfour. Hij zette voorzichtig, met een pink onder het zadel gehaakt, zijn fiets tegen een muur van de bijkeuken, en pelde de opengewerkte valhelm van zijn bezwete kop. Hij grijnsde naar me – het ene oog star en dood, het andere levendig maar ontwijkend.

'Is onz'Altje niet thuis?' vroeg hij mijn moeder, die hem op de achterplaats tegemoet kwam. Zijn hese stem, zo zelden gehoord, klonk minder bars dan anders.

'Die is om halfeen niet thuisgekomen van Flipse. Dan hoef ik verder al niks meer te zeggen. Hoezo, is er iets?'

Hij keek mijn moeder niet aan, maar zijn nek schoot vooruit, en zijn gezicht kwam zo dicht bij het hare dat zij van de weeromstuit haar bovenlichaam naar achteren boog. 'Zei ik 't niet?' riep hij uit in een soort kwade triomf. 'Heb ik 't niet gezegd? Hanh! Ge moet die mannen niet zo maar geloven. "U hoeft nergens op te rekenen," zeien ze. Hanh!' Hij gromde als een hond tussen woede en tevredenheid. 'Maar *mooi* dat ze nou in verwachting is, ons Karin.'

Mijn moeder wreef met haar mouw vluchtig het spuug van zijn blijde tijding van haar gezicht. Ze scheen niet erg overtuigd. Haar woorden klonken nog raadselachtiger dan de zijne. 'Hoe lang nou?'

'Zes, zeuven weken, denkt ze.'

'Zullen we dan niet eerst 's wachten tot we er zes verder zijn? Tot 't drie maanden is? Zeker bij iemand van wie de dokters...'

'Niks! Ik weet 't zeker! Ik voel 't!'

Hij fietste weg met zo'n grimmige kop dat ik er bang van werd.

Soms raakte een deel van het peloton in de knoop: dan haakte alles – fietssturen, lichaamsdelen – even onontwarbaar in elkaar als paperclips in een doosje. Alles en iedereen trok elkaar naar beneden. Maar vervolgens was er het wonder van het snelle opstaan! De renners gaven hun wonden niet eens de kans te gaan bloeden; dat gebeurde pas wanneer ze alweer wegreden, en bloeddruppels van hun koppen woeien als zweet. Soms zag je nog net iets van de grilligheid van het bloed dat zich om een arm wond: een complete Biesbosch in glinsterend rood, die zijn draai om een elleboog probeerde te vinden...

Oom Roberts knieën en ellebogen zaten ook wel eens onder de bloedklonters wanneer hij zich bij uitzondering na afloop van de wedstrijd liet zien. Ook dan bleef hij nog zo goed als onzichtbaar, want hij was het eigenlijk niet zelf: aan ons vertoonde zich, overeind gehouden door zijn fiets, het schamele beetje mens dat er na de finish van Robert Egberts restte. Een natte dweil die over stang en zadel hing. Volkomen afgemat. Of hij nu als vijfde of als vijfenvijftigste geëindigd was, rond zijn mond, die naar een hazelip zweemde, wrong altijd een bittere, teleurgestelde trek, met soms iets van zelfhaat ook. Zijn gekromde nek drukte woede uit. Al gunde hij mij nooit een blik, van zo dichtbij kon ik zijn kracht duidelijk voelen. Of liever, het *negatief* van die kracht: van de kracht namelijk die hij de afgelopen uren verbruikt had of, als je zijn gezicht mocht geloven, verbrast.

Terwijl Robert afwezig en uitgeblust de op- en aanmerkingen van zijn goedbedoelende broers aanhoorde, zette hij telkens opnieuw het stuur recht om vervolgens met een pink onder de bovenbuis zijn fiets op te tillen en met samengeknepen oog te kijken of het voorwiel evenveel naar rechts als naar links uitsloeg. Volgens oom Egbert controleerde hij zo of er 'geen speling in het balhoofd zat'. Maar hij deed het zo vaak, en vooral zo vaak achtereen, dat het een tic geworden moest zijn. Tussendoor legde hij soms een vinger in de lengte langs zijn neus, en mikte dan wat doorzichtig snot in de goot. Hij gaf nooit meer dan wat gegrom ten antwoord, daarbij naar de grond kijkend, als een geslagen schooljongen die er het zijne van denkt.

'Ik ga m'n eigen maar 's omkleje.' Het was zo ongeveer de enige zin die oom Robert compleet uitsprak. Met twee vingers, die vederlicht op het zadel rustten, stuurde hij de fiets kaarsrecht voor zich uit. Het was tegelijk een gebaar van tederheid en een van verachting. Meestal voegde tante Karin zich dan bij hem. Ik was zonderling ontroerd bij het zien van hoe die twee naast elkaar voortliepen: hij voorovergebogen, met gespannen rug, zij ontspannen achterover leunend, de buik vooruit gestoken.

Pas in mei, ik was net vijf geworden, kwam Robert weer eens bij ons langs, weliswaar op de renfiets, maar gekleed in zijn overall en op een gewone werkdag, dus hij kon nooit aan het trainen zijn. Hij had zelfs zijn leren bananeschil niet op zijn hoofd.

Hij lachte naar me met een scheve mond – 'Hee, jongske' – en zette daarbij zijn gele fiets heel wat minder voorzichtig tegen de muur dan de vorige keer. Toen ik even later de huiskamer binnenkwam, lag hij languit, maar eerder opgewonden dan ontspannen, in de rookstoel, en liet zich door mijn moeder – wat hij voorheen als sportman altijd geweigerd had – een kop koffie aanreiken. In zijn opwinding nam hij een veel te grote teug van de dampend hete drank, maar slikte die toch door. In plaats van een vloek, zoals ik eigenlijk verwacht had, slaakte hij een luide zucht van genot, waarbij hij met zijn wijsvinger aangaf hoe de gloeiende koffie zich een weg naar beneden brandde. 'Ah! ik voel 'm zo gaan... helemaal van hier tot hier. Hij snijdt er dwars doorheen.'

Ik moet naar zijn borst hebben gekeken met een gezicht alsof ik er serieus rekening mee hield dat de blauwe stof van zijn overall elk moment kon openscheuren om...

Oom Robert lachte luid om het smoel dat ik trok, en stopte wat kleingeld in mijn broekzak. 'Hier. Maar wel zeggen wat je ervoor gaat kopen. Ik vond vroeger kaantjes zo lekker.' Hij zette de kop koffie naast de stoel op de grond en ging rechtop zitten; er scheen hem plotseling iets te binnen geschoten wat hij beslist moest vertellen. 'Ik moest ze voor m'n zuster halen. Voor tante Betsie.' (Hij bedoelde de zuster die hem met een haaknaald in zijn oog had gestoken.) 'Kaantjes. Warm. In zo'n puntzak. Afblijven tot ge thuis bent, zei ze dan. Ik zwoer honderd keren met natte vingers dat ik ervan af zou blijven. Liep ik met die zak vol kaantjes buiten door de kou en... nou, jongen, dat rook me toch lekker, he. Ik dacht dan bij m'n eigen: eentje, daar merkt ze niks van. Zak open, kaantje, zak dicht. En nog 'n keer... Op 't laatst had ik die zak zo dikwijls open en dicht gehad dat-ie aan de randen droop van het vet. Dichtvouwen kon dan niet meer, dus wat deed ik?' Hij praatte steeds heftiger, op het schreeuwerige af. 'Ik *draaide* 'm dicht van boven, die zak, en dan stak het papier als een spijker recht omhoog. Stijf van het vet. Recht de lucht in! Als 'n spijker...! Met 'n punt van klaar vet...! Als 'n draadnagel...!'

Ik had meer naar zijn nerveus dansende handen gekeken, die uit puntzakpapier en kaantjesvet een draadnagel boetseerden, dan naar zijn gezicht, dat mij voor 't eerst echt probeerde aan te kijken, al was 't niet met twee ogen. Het was ook voor de eerste keer dat hij het woord tot me richtte, en nog wel op zo'n vreemd fanatieke manier, alsof hij iemand deelgenoot maakte van een te lang bewaard geheim. Dat het ook meteen voor 't laatst was, zal wel de reden zijn waarom die papieren spijker door de jaren heen voor mij zo ongeveer zijn zelfportret is geworden.

Hoewel mededeelzamer dan anders was hij niet minder rusteloos: hij vertrok al gauw weer. 'We komen binnenkort 's kijken,' zei mijn moeder.

Toen ik hem nakeek, zoals hij in zijn opbollende overall eigenlijk veel te plomp over die lichte fiets gebogen zat, voelde ik me vreemd ontroerd. Zak open, kaantje, zak dicht. Mijn moeder kwam naast me staan. 'Ja, Albert. Tante Karin kon er helemaal geen krijgen, zei de dokter eerst. En nou hebben ze een zoon. Ome Robert zo gek als 'n ajuin natuurlijk, dat heb je wel gemerkt.'

Ik was de enige getuige van Robby's doop. Er kwam zelfs geen pastoor aan te pas.

Waarschijnlijk omdat ze hadden gedacht dat de ooievaar te voet zou komen, en ze hem met zijn zware last (toch gauw acht pond) het trappenlopen wilden besparen, was het echtelijke bed beneden in de huiskamer neergezet. Ik was erbij toen tante Karin na een kraamtijd van amper vijf dagen uit bed kwam om zich te gaan kleden voor de doopplechtigheid.

'Wil Albert nog zien waar de ooievaar tante Karin heeft gepikt, toen hij ons Robbertje bracht?' Zij schortte haar nachtpon op en wees mij op haar bleke dijbeen een plekje aan waar de ooievaar met de punt van zijn snavel in enkele paarse sidderlijntjes zijn handtekening had gezet om de overdracht te bekrachtigen. Als ik bleek om de neus werd, was dat mijn manier om aan te geven hoe onbegrijpelijk mooi ik de wereld en de natuur in elkaar vond zitten.

'Even een schone halen boven,' zei tante Karin, nadat ze de baby van zijn vuile luier had ontdaan. 'Albert, jij zorgt wel dat hij er niet van afrolt, he?'

Robby lag helemaal naakt boven op de sprei, en niet eens zo ver van de bedrand af; ik was me plechtig bewust van mijn bijzondere taak. Ik hield geen oog van de baby af. Hij huilde niet; het was of hij nadacht. Plotseling leek zich iets te spannen in het lichaampje. Het ruggetje kromde zich. Robby kruiste de voetjes, krulde zich op als een gepelde garnaal, en daar flitste iets door het zonlicht dat, gebroken door tuindeuren en ander glaswerk, in stroken over het bed heen lag. Hij piste zichzelf op het hoofd.

Na deze krachtsinspanning bleef het even stil. Robby verroerde zich niet. Kleurloze urine droop langs zijn oren, biggelde over zijn wangen. Toen begon het gekrijs. Meteen snelden de vrouwen binnen. Mijn moeder, Robby's oma, een nog maar half geklede tante Karin, haar zus Irene... allemaal.

'Hij is helemaal nat! Hoe komt hij nou ineens zo nat? – Albert?'

Dat laatste op strenge toon. Misschien dachten ze dat ik over hem heen had staan plassen. Ik hield mijn mond. Hoe zou ik ook woorden hebben kunnen vinden voor het wonder dat ik aanschouwd had?

De rest was een hoop poespas, een verkleed naspelen van de naakte ceremonie die zich al voor mijn ogen voltrokken had. Het doopkussen waarop Robby naar de doopvont werd gedragen, zijn doopkleed – het was één grote, leugenachtige verkleedpartij. De baby krijste, zoals het een boreling na het ontvangen van het doopwater betaamt. Van het officiële doopwater ging hij beslist niet harder huilen, evenmin als van het op de tong ontvangen zout. Zijn gekrijs was uitsluitend een antwoord op wat hij zichzelf had toegediend, water en zout ineen, en dat kon niemand hem verbeteren. Hij had zichzelf gedoopt.

(De familie wilde niets liever geloven dan dat Robert al zijn kracht en uithoudingsvermogen uit de levertraan putte. 'D'r gaan hier hele flessen doorheen,' meldde tante Karin. Inderdaad, maar niet voor inwendig gebruik, tante Karin. Toen mijn vader en ik een keer bij ze op bezoek gingen, troffen we oom Robert op de achterplaats, waar hij doende was het zadel van zijn renfiets, na het met levertraan te hebben ingevet, met een deegroller tot groter soepelheid te walsen. 'De levertraan, daar vaart alleen z'n reet wel bij,' hoorde ik mijn vader later tegen oom Egbert zeggen. Dat voor de inwendige middelen een bevriende Belgische apotheker zorgdroeg, werd pas later bekend.)

Vanaf zijn eerste verjaardag – hij had toen nog krullen – verscheen ook Robby op het parcours, behalve in de periodes dat zijn moeder, die zeer vruchtbaar bleek, na het baren van weer een kind, moest zogen en de nieuwe baby nog niet elders kon uitbesteden. Na de wedstrijd mocht Robby, vastgehouden en voortgeduwd door zijn vader, met zijn Donald Duck-achtige luierkontje op het smalle fietszadel zitten. Maar *zag* Robert zijn zoon ook? De renner was nog helemaal in trance, en scheen vervuld van een grote woede – niet zozeer tegen zijn mededingers gericht, nee, algemener. Hij keek dwars door ons heen, ook door Karin en de kleine Robby. Aan zijn rusteloze ogen, aan het schokken en trekken van zijn ledematen, aan zijn snuivende ademhaling kon je zien en horen dat de cruciale momenten van de wedstrijd voortdurend werden overgedaan, gecorrigeerd, geanalyseerd.

Robby wilde zijn vader wel degelijk zien, en dat was te merken. Ook al zag hij hem weinig, hij leerde lopen met in zijn kinderdijen al de drift van de vader. Later spoog hij op de grond als de renners, en ontdeed zich op hun wijze van zijn snot. Hij leerde de prachtigste vloeken van ze. Van zijn ooms nam hij de aanmoedigingskreten over.

'Ja, nou vasthouwe, Rob!' kon je hem met zijn kinderstem horen roepen.

'D'r bovenop blijven nou!'

'Ge zit 'r geen honderd meter achter!'

IJdel geschreeuw. Op geen van de koppen, zelf al onherkenbaar vervormd door inspanning en snelheid, een spoortje van herkenning. De vader die zijn held was kreeg Robby niet te zien. Die vervloeide in de aquarel van doorzwete hemden, verdampte in een lucht van kamferspiritus. Robby's kreten gingen verloren in de windvlaag die elk peloton is.

Na de wedstrijd verscheen niet de man die Robby geroepen had. Het was iemand anders, uitgewrongen, bebloed. Iemand die te snel was gegaan. Iemand die niet snel genoeg was gegaan.

Ik had hem nog een keer bij mij thuis aangetroffen, achter de koffie bij mijn moeder, aan wie hij zijn winkeldochters hoopte te slijten. 'Een leren broek, is dat niks voor jou, Albert?' Al eerder had mijn moeder weten te vertellen – ze had het uit de eerste hand, van tante Karin zelf – dat er 'een luchtje zat' aan dat vertegenwoordigerschap, en dat 'Robert het niet aankon'. 'Hij is te gemakkelijk als het erom gaat de mensen te laten betalen.' Zijn opdrachtgever zette hem onder druk, en had hem bovendien al een paar keer van slordige verrekeningen beticht.

Ik hoopte dat oom Robert nog eens een keer met zijn vinger in neerwaartse richting zou wijzen hoe de hete koffie zijn weg vond, maar hij deed het nooit meer.

Het viaduct

Het omkijken met zijn ene oog – of er wellicht nog iemand achter hem reed, dan wel of het peloton, dat bijna een volle ronde voorlag, hem dreigde in te halen – werd steeds meer een tweede natuur.

De gevarendriehoek, *De tandeloze tijd 2*

Veel snapte ik niet van de mensen, met hun gegoochel met ringen en jawoorden en hun trouwpartijen en hun 'gezegende ouderschap' of hoe heette dat. Hoe hadden ze mij niet uitgedost, toen, in een pak met zwaluwstaart compleet met stok en hoge zijje en met mijn onderbroek achterstevoren aan, alles vanwege de mooiste dag in het leven van twee, nee, vier of nog meer mensen. En o! wat een zoet *tragische* bruiloft was het geweest, met vijftig procent van de aanwezige bruiden voor de volle honderd procent onvruchtbaar! Dat betekende: nóg meer oprechte, onbaatzuchtige liefde – een liefde die zichzelf, zonder de zegen van een kinderschaar, in stand zou houden. Op eigen kracht, in voor- en tegenspoed, halleluja, daar komt de bruid.

Het was me trouwens, door de jaren heen, opgevallen hoeveel vrouwen als meisje al na een door een tak gebroken val uit een boom onvruchtbaar heetten te zijn geworden. Goed, ik was vijftien, dus ik had niks dan slechte gedachten, maar volgens mij betekende het dat meisjes tijdens een valpartij, boom of niet, tak of geen tak, *altijd* de benen spreidden; misschien mocht je daarom ook nooit achter ze lopen op de trap, want dan kon jíj wel eens de ongelukstak blijken te zijn. Of was er meestal toch iets heel anders aan de hand geweest, iets veel geniepigers, en had die boom bij het onvruchtbaar worden dezelfde functie als de beruchte bolbliksem bij het 'te vroeg' ter wereld komen van een baby? Nou hadden bomen wel vaak erg veel in de weg zittende takken, dat moest ik als voormalig klauteraar toegeven, net zo goed als dat je 't van een vuurbal, zeker met zo'n knetterende donderslag erbij, behoorlijk in je broek kon doen. ('Weet je wat ook nog kan?' zou Robby jaren later zeggen, toen ik hem met ongeveer die woorden zijn eigen onbestaanbaarheid onder de neus wreef. 'De bliksem in een boom. Dan wordt het gegarandeerd een oliebollenkraam. En dan tot sint-juttemis van de leg af. Je moet de dingen niet half zien, Albert.')

Enfin, ondanks die boom, en waarschijnlijk zonder de hulp van bolbliksems, had tante Karin oom Robert vier kinderen geschonken; een vijfde was op komst, maar die was niet van oom Robert. 'Ze liggen in scheiding,' hoorde ik geregeld fluisteren in de familie, maar zo ver zou het nooit komen. Toen Hendige Henny, zoals de vader van het vijfde kind genoemd werd, weer uit het gevang ontslagen was, en de vrijage hervat werd, zocht Robert na wat geduw en getrek over en weer een kosthuis elders in Eindhoven. Met zijn opdrachtgever kreeg hij de onvermijdelijke ruzie over de centen; hij liet de winkeldochters voor wat ze waren, en klopte opnieuw bij Philips aan. Robert dong naar een baantje in de nachtploeg, en kreeg het, wat hem de gelegenheid gaf vaker overdag te trainen – al werd hij er op die manier, met gemiddeld vijf uur slaap per dag, niet fitter op.

Toen mijn vader veertig werd, kwam Robert onverwacht langs om zijn broer te feliciteren. Hij had zijn boterhammentrommeltje bij zich, want hij 'moest straks de ploeg in'. Hij dronk vrij veel voor iemand die 's nachts nog werk te doen had en bovendien de volgende dag een paar uur wilde trainen. Nadat alle toastjes op waren, bekende Robert nog trek te hebben; hij haalde zijn trommeltje van de fiets, en diepte er een langwerpig blok kaas uit op. Het was vierkant in doorsnee, en erg bleek van kleur: zeer jonge kaas, zo te zien.

'Kijk,' riep hij lachend (wat hij nooit deed, en misschien maakte het daarom zo'n trieste indruk), 'heb ik geen goei kosthuis? Ik krijg de kaas niet alleen op brood, dat zie je wel.'

Om de overvloed nog eens te benadrukken hield hij het stuk kaas tussen zijn vingertoppen opgericht met de kennelijke bedoeling het naar zijn opengesperde mond te brengen en in één keer, zo lang en zo dik als het was, in zijn keel te laten verdwijnen. Maar halverwege knakte de staaf dubbel, zo slap bleek de jonge Goudse, en daarmee brak de sierlijke zelfverzekerdheid van Roberts gebaar abrupt af. Even was zijn lach verdwenen, toen hij naar de lillende sliert in zijn hand keek; vervolgens propte hij hem alsnog in z'n geheel naar binnen.

'Een goei kosthuis,' herhaalde hij met volle mond. 'D'r wordt goed voor me gezorgd.'

Ik nam snel een slok van mijn cola, maar die bleef pijnlijk vastzitten in mijn keel.

Op een zondagmorgen in mei kwam Robbertje van acht helemaal alleen van Eindhoven naar Geldrop gefietst. 'Wat komt die klier doen? Het gaat zeker niet goed daar, met die Hendige Henny erbij,' zei mijn moeder, toen ze zag hoe het jongetje zijn fiets met een luide galm van bel en frame tegen de schuurmuur liet vallen.

We kregen niet uit hem wat hij nu precies kwam doen, Robby; wel was duidelijk dat hij niet meteen weer wenste op te hoepelen. Hij bleef hangen, en natuurlijk draaide ik ervoor op hem bezig te houden. Het maakte me zenuwachtig, want sinds enkele maanden stond de zondagmiddag voor mij in het teken van een geheim ritueel dat ik er samen met mijn vriend Thjum op nahield, en daar konden we verder niemand bij gebruiken, zeker geen kinderen van acht.

In de enige bioscoop die Geldrop toen nog rijk was dompelden we ons voor twee kwartjes onder in duisternis en avontuur, maar daartoe moesten we ons wel, als het in de film heet toeging, de klappen op hoofd en schouders laten welgevallen van het woonwagenvolk ('schooierskamptuig' zei Thjum) dat het grootste deel van de stoelen bezette. Dat was allemaal nog maar voorbereidende roes. Als we ons tot trillens toe gelaafd hadden aan wat die b-films ons aan snelheid en hartstocht, aan vuisten en lippen en kogels en kussen en brandende auto's te bieden hadden, gingen we in navolging van de helden die we in het donker achterlieten zelf de gloed van een leven van kracht en heldendom inzuigen.

Per sigaret.

De sigarenwinkel van 'Kop' van Delden naast de bioscoop verkocht ze voor de woekerprijs van vijf cent het stuk; voor een heel pakje hadden we niet genoeg geld. We rookten onze sigaret, en soms nog een tweede, in de doodlopende steeg tussen bioscoop en sigarenhandel, waarbij we met onze rug naar de zondagswandelaars op het trottoir van de hoofdstraat stonden. Het risico van voorbijkomende familieleden hadden we nodig, wilde de geïnhaleerde rook tot dieper dan de longen, tot in onze darmen, doorgloeien.

'Als het maar niet voor hummes is,' zei Kop van Delden die zondag. Hij wees met zijn sidderende onderkinnen op Robby, die nauwelijks boven de toonbank uitkwam. 'Dat manneke is nog veels te klein.'

Buiten, in de steeg, keek ik even later met samengeknepen ogen tegen de rook neer op Robby's weerborstels, waaromheen de rook van zijn eigen sigaret opkringelde. Thjum en ik leunden in de schaduw tegen de zijmuur van de 'Beverly Hills', maar Robby stond in het volle zonlicht. Hij vond het niet nodig het zondagse publiek zijn rug toe te keren. Integendeel. Uitdagend diep inhalerend keek hij naar de voorbijgangers, die zich niet aan ons tweeën vergaapten, zoals we gehoopt hadden, maar aan dat rokende kind met zijn gemillimeterde haar. Een achtjarige die grote rookwolken uitblies, rochelde en spoog en vloekte als een volwassene, en met zijn duim de rooktranen uit zijn ooghoeken wipte.

Nadien kwam Robby elke zondag terug – tot merkbaar ongenoegen van Thjum, die onze intimiteit geschonden zag, maar er niets van zei, omdat het jongetje van zijn handige stiefvader altijd zoveel zakgeld meekreeg en erg vrijgevig was. Zelf kon ik nooit genoeg krijgen van het uitzicht, van boven af, op dat boze kinderkopje met de onschuldige oortjes, en op die weerborstels van witgoud die nog wonderlijker draaiingen leken te vertonen als de zon erop scheen door een bewegende mist van sigaretterook.

Tante Karin bleef, met Robby en de kleintjes (maar zonder Hendige Henny), trouw de wedstrijden bezoeken, tot in Vlaanderen toe. Ik kwam er nog maar hoogst zelden. Sport was niks voor mij; het paste slecht bij mijn indolente aard. Als ik ging, was het om op m'n ouwe te passen, die na afloop altijd dorst had – vaak trouwens op de heenweg al.

Om na elk rondje fietsen oom Robert iets toe te roepen, zo gek kregen ze me niet meer. Ik was veertien, al gauw vijftien. Zelfs Robby schreeuwde nauwelijks meer iets aanmoedigends naar zijn vader. Het had geen zin. Niets kon Roberts achterwaartse gang – met een gemiddelde van twee, spoedig drie neklengten per week – naar het staartje van het peloton meer stuiten, ook niet de farmaceutische attenties van zijn Vlaamse vriend de apotheker. Robert werd te oud. Hij was de dertig voorbij, en sprong nogal raar met zijn conditie om.

Oom Robert, zo leek het, raakte tegenwoordig over de wedstrijd, hoe beroerd die voor hem ook geëindigd was, pas vol vuur na afloop, wanneer hij Robby kon onderwijzen over ontsnappingen, over de voordelen van een waaierformatie, en over hoe hij papa's blunders van die middag had kunnen voorkomen. Het was geen spelletje, het was een les op leven en dood, dat zag je zo. Robert gaf zijn negenjarige zoon de boodschap van de snelheid door. Harder. Beter. Schuiner in de bocht.

Door de noodzaak van het onderricht werd Robert

minder zwijgzaam. Hij praatte met de grootste indringendheid op Robby in, had minder gauw de neiging zich uit de voeten te maken om het zweet van zijn lichaam te gaan spoelen, en werd zo al wat zichtbaarder dan we van hem gewoon waren. Robby luisterde met een soort woedende aandacht, en trok daarbij het kwaaie, gespannen smoel waarmee zijn vader vroeger, in zijn beste dagen, van de finish kwam. Ze keken elkaar niet aan, of hooguit met de kortst denkbare blik, niet meer dan een ketsen van pupillen. Nooit kon er een lachje af, bij geen van beiden. Je kon merken dat ze elkaar in die overspannen verstandhouding bijna te veel waren, Robert Egberts senior en junior.

Oom Robert had het altijd met een, zoals hij dat noemde, 'confectiefiets' moeten doen – eerst een die 'te licht' bleek en daardoor ging 'zwiepen', vervolgens eentje waarvan het frame, blijkens de trap die hij bij elke oneffenheid in de weg onder zijn gat kreeg, 'te stijf' was en bovendien 'ietsje te lang' dus 'minder wendbaar'; en ten slotte, toen van de laatste bij een valpartij de balhoofdbuis brak en de crank verbogen raakte ('eigenlijk was z'n hele bracket naar de kloten') had hij een fiets met buizenstelsel van TI/Reynolds besteld, maar confectie was het gebleven. Al moest Robert er in zijn vrije uren hele wijken voor van televisieantennes voorzien, Robby zou van hem straks een maatfiets krijgen, met een derailleur van tien, nee, twaalf versnellingen en met *centre pull*-remmen, geen gelul.

Zelfs in hun neergang, zo leek het, stortten Robert Egberts en de zijnen zich met tomeloze energie. De vitaliteit bleef per saldo gelijk; zij hulde zich alleen in een andere gedaante: die van de pech.

Stralende uitzondering op de neergang van dit familietje vormde Robby, wie alles lukte. Bij zijn debuut als adspirant voltooide hij het parcours nog in het peloton, maar drie weken later was hij, in de Ronde van Zesgehuchten, al goed voor een tweede plaats. Nog eens drie weken later behaalde hij zijn eerste zege.

Meteen de eerste winter van zijn wielercarrière, nog nauwelijks getraind in het veldrijden, werd hij al derde in de Kamperlandcross.

Kort na zijn debuut bij de nieuwelingen eindigde Robby als tweede in de Omloop van het Zuiden, een klassieker van bijna honderd kilometer. Tegen alle regels in koerste hij als nieuweling zelfs in België. (Hij deed altijd erg geheimzinnig over hoe hij aan het vereiste zegel op zijn licentie kwam. Later hoorde ik van tante Karin dat hij zich, daartoe geprest door zijn vader, bij iemand van de Belgische wielerbond had uitgegeven als inwoner van Zeeuws-Vlaanderen, met nagebootst accent en al.) Robby was erg trots op zijn overwinning in Damme tijdens een hittegolf, al vertelde hij er niet bij dat er maar negentien renners hadden ingeschreven.

Tot zijn mooiste prestaties als amateur, een jaar later, behoorde een tweede plaats in de Viking-race op het eiland Man; hij was er trotser op dan op zijn overwinning in de vierde etappe, datzelfde jaar, van Olympia's Ronde van Nederland...

Maar altijd wachtte daar, aan de andere kant van de finish, de mismoedige kop van de vader. Nooit een compliment, nooit een opbeurend woord. Zijn ene, starre oog wilde alleen zien wat er mis was gegaan, hoe het beter had gekund. Sneller, anders. De overwinning, de bijna-overwinning, de vijfde, de vierde plaats – het was allemaal bijzaak in vergelijking met wat er nog veroverd moest worden. Robert praatte op zijn zoon in, Robby hoorde zijn vaders woordstoten aan; en ik zag hoe daarbij hun blikken wegzwierven, naar elkaar terugkeerden, en na een krimpend treffen weer wegschoten. Twee persoonlijkheden die elkaar telkens met een dreun afstootten. Maar het waren wel dreunen als op een aambeeld, en al ging het buiten hun wil om: daar werd eerder iets aaneengesmeed dan ontketend.

Daarin school natuurlijk Roberts grootste compliment: dat het beter kon, slimmer, sneller vooral; dit alles was nog maar een begin. Maar *vatte* Robby het compliment ook?

O nee, het was niet zo maar het oude liedje van de vader die zijn eigen falen in de zoon opgeheven wil zien. Robby had de prestaties van zijn ouwe al lang overtroffen, daar lag het niet aan. Maar Robert verloor de verhoudingen uit het oog, en Robby bijgevolg ook. (Later, toen Robby het allemaal op eigen houtje deed, zeiden ze over Robert in de familie: 'Gek? Ziek? Hij heeft maar één kwaal. Hij lijdt aan zijn zoon, dat is 't. Die dolleman wordt z'n dood nog.' Maar onverklaarbaar lijden aan zijn zoon deed Robert *toen* al, op de circuits van de voor Robby zo succesvolle 'klassiekers'.)

De snelheid waartoe Robert zijn zoon, eerder door een soort hypnotische kracht dan door woorden, aanzette, was geen haalbare; die bestond hooguit als *idee*. Toch staarde Robby zich blind op die idee, en voor zijn ogen vergroeide zijn ranke Japanse maatfiets – een Tange – tot iets wanstaltig plomps, een traag vehikel (wat nog meer gold voor zijn cycle-crossfiets, met zijn massieve achterwiel).

Nadat het gedaan was met het zondagse roken, wist Robby mijn ouderlijk huis nog één keer te vinden: toen hij bij het trainen niet ver van onze buurt een lekke band kreeg. Ik bracht de paasvakantie bij mijn ouders door, en bij het binnengaan van de keuken trof ik mijn neef daar in trainingspak geknield voor een fietswiel aan. Op de mat was, ongetwijfeld door mijn moeder, een laag kranten uitgespreid. Ik keek neer op zijn gebogen hoofd, minder kort geknipt dan vroeger, en zag dat tegenwind zijn haar in de war gebracht had zonder zijn weerborstels onzichtbaar te maken.

'Hallo, Robby, hoe gaat 't? Lekke band, hm?'

'Lekke tuub.'

Hij zei het geprikkeld, en na even toekijken begreep ik het. Het repareren van een 'tuub' was heel wat ingewikkelder dan het plakken van een gewone band. Robby had het lek opgespoord en probeerde nu de draad waarmee de *tube* was dichtgenaaid los te tornen.

'Hee, ga me 'n beetje op m'n poten staan kijken, zeg!'

Ik ging de huiskamer binnen, waar mijn moeder al klaarzat bij de theemuts. 'De tut staat te trekken.'

'Tut' voor thee – het was de enige verbale frivoliteit die zij zich in haar leven ooit had toegestaan, en dan nog alleen in een vrolijke bui, dus hoogst zelden.

'Zullen we maar wachten met de tut tot Robby klaar is?'

Toen Robby met zijn vuile klauwen eindelijk de

huiskamer binnenkwam, zag ik pas hoe lang en breed hij was geworden, en dat als telg uit een familie van korte mensen, bastaardnazaten van Spaanse soldaten uit de Tachtigjarige Oorlog. Ik was nog maar net aan mijn studie begonnen, en dat mocht ik wel even laten merken, vond ik.

'God, Robby, waar groeit dat naar toe met jou? Ik las laatst een artikeltje waarin stond dat kinderen die zijn opgegroeid in de jaren zestig alsmaar groter worden. Door betere voeding, verwennerij... sport... Optimistisch stuk natuurlijk. Maar ik las nog een artikeltje, heel wat minder optimistisch. Over de toename van de wereldbevolking. De dreigende overbevolking. Bekend probleem. Waarom dan zo lyrisch gedaan over het langer worden van de botten, het groeien van de schedels? Met andere woorden, wat is er zo lollig aan dat de nieuwe mensen per stuk ook nog eens *meer plaats* gaan innemen? Op die manier drukken ze elkaar nog dood straks. De wereld een voetbalstadion.'

'Ook goeiemiddag samen,' was Robby's eenvoudige antwoord. 'Geef mij maar een tas thee, tante Han.'

Mijn moeder schonk zijn kopje vol. Ze feliciteerde hem met zijn meest recente triomf – een zesde plaats in, ik meen, de Vierstromenlandronde. Ze had het uit de krant. Robby haalde zijn schouders op. Hij had er niet veel lol meer in, in dat gefiets. Er was hem aangeboden om bij de amateurploeg van Tricot-Double te komen rijden – een hele eer op zijn leeftijd – maar Robby vroeg zich af of hij het wel zou doen. Hij mompelde iets in de trant van 'sport uit het jaar nul', 'uitgevonden voor vrouwen met knotsknieën', en: 'niks voor de toekomst'. Persoonlijk zag hij heel wat meer in de motorsport. Hij had er al mee kennisgemaakt ook. Hij kon 'bijkans nergens anders meer aan denken'.

'Robby, denk toch om je nieren!' riep mijn moeder uit. 'Je hebt er zó een aan het wandelen.'

'Schreeuw maar niet zo, tante Han, ik heb ook een moeder gehad. *De Wandelende Nier*, Albert, is dat niet een of ander boek of zo, net als *De Vliegende Hollander* of zo iets? Och, tante Han, ik heb een riem van zowat een halve meter breed. Zo'n ding zou 'n gorilla nog wel als korset willen. Bij mij gaat echt niks wandelen of op de loop zonder dat ik 't zelf wil.'

Mijn moeder knipte de theebeurs open, en nam er de pot uit. Waarschijnlijk overmoedig geworden door Robby's ruwe mond, trok zij roekeloos het enige register van eigen lichtzinnig taalgebruik open, wat zij nog niet eerder gedaan had waar vreemden bij waren.

'Robby, nog een kopje tut?' vroeg ze met ondeugende stem, en liet er onmiddellijk op volgen: 'Ja, Robby, wij noemen thee soms *tut*.'

Voor deze lichtzinnigheid strafte zij zichzelf symbolisch door haar boventanden in haar onderlip te drukken, terwijl ze intussen niet kon voorkomen dat haar naar beneden getrokken mondhoeken in een opwaartse stand trilden.

'Als thee tut is,' zei Robby, ondanks een verveelde afwezigheid honend direct, 'hoe noemen jullie koffie dan?'

Er fladderde van muur naar muur een monsterlijk woord door de kamer. 'Robby, toch!' Als was het na een eerste blinde vlucht recht haar keel binnengevlogen, sloeg zij met een klap haar hand voor de mond, en hield hem daar, met vastgehouden adem. Boven die hand werden haar ogen groot van ontzetting.

Mama had een groot deel van haar leven en sloven gewijd aan het achter slot en grendel houden, zowel bij haarzelf als bij haar kinderen, van obscene woorden, en van *dit* woord in het bijzonder. Zij was een consciëntieuze cipier geweest. En nu had zij in een ondoordacht moment de sleutel prijsgegeven. Zij had het woord zelf uitgesproken, indirect, via de tong van een ander, van een wrede adolescent nog wel. In al zijn donzige weekheid was het naar haar teruggespuwd.

Aan de bewegingen van haar adamsappel was te zien dat zij het woord probeerde door te slikken, terug te stouwen naar zijn kerker waaruit het nooit had mogen ontsnappen, ook niet via de list van de verspreking.

Pas toen we voor het raam stonden te kijken hoe Robby met opgeheven kont wegreed, hervond mijn moeder haar stem. 'O, wat verschrikkelijk. Die vuilak komt er hier nooit meer in.'

Zij heeft nooit de knip voor Robby op de deur hoeven te doen, want het was zijn laatste bezoek, als het een bezoek mocht heten. Overigens heb ik mijn moeder de dagelijkse sloeberbak thee nooit meer bij zijn koosnaampje horen noemen.

Uit die tijd stammen ook de eerste geruchten over kleine vergrijpen waarmee Robby zijn snelheidsmanie zou bekostigen. Van een neef hoorde ik dat hij, al dan niet in navolging van zijn stiefvader, in gestolen grammofoonplaten handelde. Bij zijn muziekleraar op de lts was hij door de mand gevallen: de voor een knaak per stuk aangeboden lp's met pianosonates van Beethoven bleken 'vals'.

'Ja, wâ wilde nou ook van iemand die zo doof was als 'ne kwartel,' had Robby tegen de muziekdocent gezegd. 'Dan moette nie bij mij zijn. Hij hettet zelf allemaal vals en verkeerd opgeschreven.'

De neef, die meende te weten dat ik van klassieke muziek hield, liet mij Robby's lijstje met aanbiedingen zien. Daarop stond de naam van toondichter consequent gespeld als: *Loedwig Beet Doven.*

Toen Hendige Henny na het uitzitten van zijn zoveelste straf geen zin meer had nog meer kinderen te verwekken en eenvoudig wegbleef, was het Robert die naar de Tulpstraat terugkeerde. Karin wilde hem niet binnen hebben, tenminste niet voor dag en nacht, maar Robert kreeg van de gemeente Eindhoven gedaan in een door stratemakers achtergelaten schaftkeet te mogen wonen, pal bij zijn vrouw voor de deur.

Roberts vriendschap met de Vlaamse apotheker was nog altijd even hartelijk, en hij kon van de man krijgen wat hij wou. Tante Karin heeft nooit de naam geweten van het middel dat hem, vaak meer keren op een dag, met een smoesje naar haar achterdeur dreef om korte metten te maken met hun scheiding van tafel en bed; wat het ook was, pil of ampul, het maakte hem even bronstig als onverzadigbaar. Hij slikte alles, en bracht iedereen aan het slikken – behalve Robby, die het op eigen kracht moest zien te rooien. (In de keukenkast van mijn moeder trof ik eens een hoeveelheid ampullen aan gevuld met een donkerbruin vocht. 'Ja, die gaf oom Robert me,' legde ze uit. 'Barstensvol met ijzer, zei hij. Klaar ijzer. Nou, ik durf er niet aan.') Het duurde niet lang of Robert dreef in zijn gemeentekeet een levendige pillenhandel, alles Belgische import.

Op een avond – Robert lag al in zijn smalle bed op de houten vloer – kwam een klant, bij wie de middelen niet goed genoeg (of juist te goed) hadden gewerkt, hem lukraak een paar messteken toedienen. Het kostte Robert heel wat overredingskracht, en bloedverlies, voordat Karin haar achterdeur wilde opendoen om in afwachting van professionele hulp met schone theedoeken zijn wonden te verbinden.

Op Aswoensdag '72, hij moest nog zeventien worden, haalde Robby voor de eerste keer de kranten, weliswaar nog niet als de held, maar laten we zeggen als diens secondant.

Met carnaval reden er in Eindhoven altijd extra nachtbussen om feestgangers van de binnenstad naar de buitenwijken te vervoeren. Robby en zijn twee vrienden wisten, ver na middernacht, op het nippertje de laatste bus van die vastenavond te halen, maar waren nog niet uitgefeest. Het was in Eindhoven onder carnavalspassagiers een traditie geworden het noodluik van de nachtbus te openen en het dak op te klimmen, om tijdens de rit 'die hete koppen eens goed door de winterkou te halen'. Robby was er de man niet naar om met zo'n heerlijke traditie te breken. Dus na een paar opkontjes van medepassagiers en wat slingerapewerk hurkten de drie neer op het dak, zich stevig vasthoudend aan de rand van het luik.

Had de bestuurder iets gemerkt, en wilde hij de onverlaten een lesje leren? De bus leek ineens veel harder te gaan, maar dat was voor Robby juist een aanmoediging om boven het geronk uit te roepen: 'En nou rechtop, godnondedju!'

Elkaar bij de schouders beetgrijpend richtten ze zich, heen en weer zwaaiend, met schokjes op. 'Blijven vasthouwen! Niet loslaten!' En zo stonden ze daar, in een kringetje: een gangster, een Indiaan en een hofnar. De ultieme broederschap.

'Neer!' Robby, die met zijn gezicht in de snijdende kou naar de rijrichting gekeerd stond, had het lage viaduct bijtijds zien aankomen. 'Bukken!' Hij trok zijn vrienden aan hun armen omlaag. 'Liggen!' Maar de hofnar, die de ijzersmaak van de vrieskou kennelijk te pakken had, wilde het niet begrijpen en rukte zich los. Heel even nog stond hij met fladderend wambuis en rinkelende zotskap rechtop, alvorens door het viaduct van de bus te worden geveegd en tegen het asfalt te slaan. Dood.

Zwaarder, lichter

Als jongen had Albert op het wielerparcours Roberts vrouw tegen haar uiterst degelijke zwager Hubert horen zeggen: 'Jou zou ik niet als m'n mens moeten hebben... Gij lijkt me niet wreed genoeg. Dat is het.'

Ook toen Albert later begreep dat 'wreed' hier in de betekenis van willig, geil *werd gebruikt, bleef het woord iets dubbelzinnigs voor hem behouden. 'Niet wreed genoeg.' Aan die woorden moest Albert denken na te hebben gehoord dat zijn oom, nu volledig paranoïde, thuis de boel kort en klein had geslagen, zijn vrouw erbij, en in de* RPI *was opgenomen (waar hij trouwens al gauw weer uitbrak door in de slotgracht te springen). Nu, versuft door de medicijnen, werd hij over het kerkhof meegetrokken door zijn zestienjarige zoon, die wel bij wijze van stunt met omgebouwde Volkswagens over sloten sprong.*

De gevarendriehoek, *De tandeloze tijd 2*

Die jassendief in Den Bosch was een beetje een lulletje. Nauwelijks had ik hem onder druk gezet (ik blufte maar wat, het mocht geen naam hebben), of hij sloeg door, en begon nog bijna te janken ook. Hij had de jassen in opdracht gestolen.

'Van wie?'

'Van een heler in Helmond. Hij had een grote bek, maar volgens mij was het gewoon een Japie Todden van heb ik jou daar.'

'Dat zullen we nog wel zien. Adres?'

De transactie had plaatsgehad 'op een soort autokerkhofje' aan het Helmonds Kanaal, 'vlak bij de zwaaikom' (hij bedoelde het woonwagenkamp aldaar), 'of misschien was het wel een soort van crossbaan'; in ieder geval werd er aan auto's gesleuteld. Geen groot licht, die Bossche voddendief, maar ik deed het ermee.

Het eerstvolgende weekend dat ik met mijn vuile goed – maar nog steeds zonder jas – bij mijn ouders aanging, vroeg ik op zaterdagmiddag mijn vader mij met de auto naar de beschreven plek te brengen. Ik stapte in de buurt van de zwaaikom uit, en sprak af dat ik met de streekbus terug naar huis zou komen. Auto's genoeg daar, gemiddeld twee per woonwagen, enorme bakken, en ook aan wrakken geen gebrek (eigenlijk is elk woonwagenkamp een bewoond autokerkhof), maar wat kon die Bosschenaar met 'een soort van crossbaan' bedoeld hebben?

Ik volgde een poosje het kanaal in de richting Helmond. Een paar honderd meter verderop zag ik auto's rondom een schuurtje staan, oude en nieuwe modellen door elkaar heen. Toen ik er dichter bij kwam, constateerde ik dat de oude modellen doffe wrakken waren, terwijl de andere naar de verse modderspatten te oordelen nog in bedrijf moesten zijn. Achter de schuur (of loods) hoorde ik een motor brullen. Het geluid was voelbaar in de grond, en trilde aangenaam tegen mijn voetzolen. Ik liep om het gebouwtje heen. Ook aan die kant wrakken van oude Amerikanen, vier stuks, maar hier keurig tegen elkaar gezet, zij aan zij, niet ver van het kanaal. Vlak bij een van de buitenste auto's bevond zich, zo te zien stevig in de aarde verankerd, een vers getimmerde houten helling, waarvan het oplopende vlak bekleed was met een materiaal dat qua structuur aan ouderwetse wasborden deed denken. Een groepje mannen stond rondom een motorrijder geschaard. Ze schreeuwden boven het gesputter van de nu stationair draaiende machine uit, maar ik kon niet verstaan wat er gezegd werd. Instructies, daar klonk het naar. Het was een wedstrijdmotor; de man in het zadel droeg een leren pak uit één stuk, met schoudervullingen als van een ijshockeyer. Hij had een helm op, en voor zijn gezicht was een rode zakdoek gebonden, die rond de neus op z'n plaats werd gehouden door een stofbril. De anderen liepen met opgestoken hand weg, alsof ze plotseling allemaal tegelijk afscheid hadden genomen van de motorrijder, die met vol gas achter een gordijn van opgeworpen aarde wegreed in de richting Helmond.

Nog geen honderd meter verderop verliet hij het pad langs het kanaal, en kwam met een grote boog, zijn snelheid steeds verder opvoerend, over het ruwe terrein teruggereden. De motor stormde recht op de houten helling af, waar hij het volgend moment, met de achteloze doeltreffendheid van een luciferkop die langs het strijkvlak wordt geslagen, tegenop raasde. Op het moment dat het achterwiel de helling losliet, verhief de man zich, en zo, staande op de voetsteunen, het voorwiel geheven, vloog hij met motor en al over de gedeukte autodaken heen. Een groen shawltje wapperde uit zijn kraag te voorschijn.

Bij het neerkomen moest de motor, die diep doorveerde, vanwege de nabijheid van het kanaal onmiddellijk een scherpe draai naar rechts maken. Bij het draaiend wegschuiven wierp het achterwiel een fontein op van vochtige aarde, die daar al door eerdere sprongen moest zijn losgewoeld.

De krachttoer werd nog een keer herhaald, op dezelfde manier en met hetzelfde resultaat. Maar meteen na de ontsnapping aan het kanaalwater steeg de stuntman af en hurkte neer naast de motor, waarbij hij de stofbril omhoog schoof om beter te kunnen zien wat eraan mankeerde. Twee van de mannen die van een afstand hadden staan toekijken gingen naar hem toe. Na wat gemorrel en enkele ongerichte trappen duwde de stunter zijn motor naar een afdak op palen bij de loods. Toen hij mij passeerde, trok hij de zakdoek naar beneden, die rond zijn hals bleef hangen. Door de vuile vegen in zijn gezicht herkende ik hem niet meteen.

'Robby...?'

'Verrek nou toch: professor Albert. Verdwaald?'

'Rare sprongen maak jij tegenwoordig.'

'O, dit is nog niks. Straks gaan die ouwe bakken in de fik.'

'En dan vlieg jij door het vuur. Met een smoking van asbest aan.'

'Hoe raai je 't zo. Sigaretje paffen zonder lucifer, noemen wij dat in vaktermen.'

'En als het sigaretje bij de landing niet brandt, heb je te hoog gevlogen.'

'Yapp. Dat is niet netjes. Fair blijven. Je moet *net* niet over de daken rijen.' Robby plaatste de motor onder het afdak, naast een werkbank vol vet gereedschap en zwarte poetslappen. Hij zette zijn helm af. Zijn haar was te lang om er de weerborstels van vroeger in terug te vinden. Bij hem waren de weerborstels al lang op een andere manier zichtbaar geworden.

'Iets anders. Ga je je vader achterna, Robby?'

''t Is niet te hopen. Die krijgt nauwelijks z'n poot meer over het zadel, de lul.'

'Ik bedoel de huis-aan-huisverkoop. Zijn winkeldochters. Jij handelt tegenwoordig toch in overjassen?'

'In deze tijd van het jaar? Is de professor wel goed snik? De mensen staan te graaien in de bakken met de lentecollectie.' (*Collecte*, zei hij, om precies te zijn – 'lentecollecte'.)

Ik vertelde hem van mijn gestolen jas.

'Ik dacht al: wat komt-ie hier doen in enkelt een trui, met dat weer?'

Ik gaf een omschrijving van de jas, en voelde me een sul.

'O, was die tod van jou? Nou, daar ben ik ook niet veel wijzer van geworden in m'n portemonnee, van dat vel. Heb jij 't in je rug of zo, van al dat studeren?'

'Nee, hoezo?'

'Ik dacht dat het iets van een korset was of zo. Het heeft nog een hele tijd, zo stijf als het was, in een hoek van de kamer gestaan, voordat ik het aan iemand heb kunnen slijten.'

'Wat heb je ervoor gevangen?'

'Niks. Wat de gek ervoor gaf. 't Ding stond me in de weg.'

Alle genoegdoening kon me opeens gestolen worden. Ik was alleen nog nieuwsgierig naar het waarom van dat muffe jassenhandeltje. Ik vroeg er Robby naar. 'Het is niet eens windhandel. Wind stinkt niet.'

'Kom, we gaan effetjes een sigaretje roken aan het kanaal.'

Robby hurkte neer aan de waterkant, en ik volgde zijn voorbeeld.

'Nee, merci. Ik rook niet.'

'Hoe heb ik het nou met jou, professor? Van jou heb ik nota bene roken geleerd. Op m'n zevende of m'n achtste al. Durf je wel? Kleine kinderen op het slechte pad brengen, en er dan zelf stiekem mee ophouden...' Hij trok aan zijn sigaret, spuwde een kringetje in het water, en blies de rook toen pas uit. 'Sinds ik in de gaten kreeg dat het menens was, met dat paffen, heb ik er nooit meer een in m'n bakkes gestoken zonder jou heel effetjes je vet te geven. Een paar geniepige scheldwoordjes per keer... kleine dingetjes... maar het zullen d'r ondertussen heel wat zijn. Genoeg om hartstikke bij dood te blijven. Geen wonder dat jij het aan je rug hebt. Da's wel 't minste.'

Robby inhaleerde, spuwde, blies. Tussen het riet danste een losgeraakte visdobber. 'Och ja, die akkefietjes,' zei hij ineens op een heel andere toon, nu kennelijk doelend op de jassenroof en andere handeltjes, 'dat zijn zo van die dingen... Kijk, ik moet natuurlijk fietsen. Zomer en winter. Ik heb twee motors. Een cross, de ander om mee te vliegen. En dan is er m'n opgevoerde Volkswagentje, waarmee ik nog wel 's slootje wil springen... Alles voor de sport. Kijk, Albert, al die dingen bij mekaar... dat kost 'n paar centen, hoor.'

'Alles voor de snelheid dus. Het is mijn vak niet, snelheid – ik ben maar een leek – maar wat wil je er nou *precies* mee?'

Robby glimlachte. Niet zijn gebruikelijke vileine grijns, nee, een glimlach. Hij brak een stukje van een rietstengel af, en schreef ermee in de vochtige aarde:

$E = mc^2$

'Einstein. Waar heb je dat vandaan?'

'Ja, zeg, luister 's. Veel is het niet, wat je op de lts aan natuurkunde krijgt, maar je vangt wel 's iets op.'

'Schreeuw maar niet zo: ik heb ook een moeder gehad. Vertel me liever wat die formule met jouw vak snelheid te maken heeft.'

'Gaat jou nog steeds geen lichtje op, professor? Wat studeert de professor eigenlijk?'

'Wijsbegeerte.'

'Hou op. Ik krijg al pijn in m'n buik als ik 't zelfs maar hoor. We hadden het over dit rekensommetje. Even kop dicht en luisteren. Stel, ik heb een opgevoerde Volkswagen. Is dat massa of is dat geen massa? Massa Volkswagen. Staat dat ding stil, niks aan de hand. Massa rust. Dat is dat emmetje daar. Goed, ik kruip achter het stuur en rij weg. Plankgas. Dan gebeurt er iets met de "E"... met de energie, zeg maar, van m'n Volkswagen. Sneller betekent meer "E", meer energie. Nou, wat zegt nou dat rekensommetje hier? De massa wordt vermenigvuldigd met licht in 't kwadraat, want "c" is de lichtgrootheid. Dus, volgens Einstein en Bartjens... als m'n energie omhoog gaat, wordt m'n massa steeds lichter. Geef ik meer gas, dan maakt dat m'n vw lichter, en mijzelf erbij, want ik zit bij wijze van spreken *in* die vw. Achter het stuur.'

'Hoho, Robby! Ho! Ik ben maar een duffe alpha, maar zoveel weet ik toch wel dat van een voorwerp de massa juist *toeneemt* als de energie ervan wordt opgevoerd. Ik kan 't ook niet helpen. Dus: hoe sneller het ding gaat, hoe zwaarder het wordt.'

'Lichter, meneer de professor.'

'Zwaarder, Robby. Neem dat nu maar van me aan.'

'Lichter.'

'Zwaarder. Of nou ja, waar hebben we 't eigenlijk over? Een omgebouwde Volkswagen? Dan gaat het om zulke verwaarloosbare snelheden dat...'

'Pardon? De professor snapt er de ballen van natuurlijk, van opvoeren. Jongen, weet je wel hoe hard dat ding kan? Je ziet het er niet aan af, maar...'

'Ik geloof het graag, Robby, als ik maar niet naast je hoef te komen zitten. 't Gaat erom dat in die formule van Einstein sprake is van lichtsnelheden. Pas als jouw snelheidstuig in de buurt van de lichtsnelheid komt, kunnen we praten over massavermeerdering... over zwaarder worden... Over het gewicht van jouw Volkswagentje hoef je je zelfs bij plankgas geen zorgen te maken: het wordt niet echt zwaarder. Maar *lichter* in geen geval, dat geef ik je op een briefje.'

'Eerst wel zwaarder, nu weer niet zwaarder. Zie je wel dat je niet weet wat je lult, man? Ik hou 't gewoon op lichter, da's wel zo makkelijk.'

'Ik zal het je proberen uit te leggen, eigenwijs stuk stront. Al ga jij met dat dappere Volkswagentje van jou net zo hard als een vliegtuig, of als een raket voor mijn part, je ziet maar – de materie ligt daar echt niet wakker van. Want vergeleken met de lichtsnelheid is het nog altijd een slakkegangetje. Jouw erbarmelijke automobilistenkont zal er geen grammetje zwaarder van worden. En lichter alleen voor zover je met dat stunten calorieën verliest. Sloof je dus maar niet zo uit. Kijk, ze hebben natuurlijk wel eens iets gedaan met hoe heten die apparaten – deeltjesversnellers. Daarin worden deeltjes... elementaire deeltjes, vraag me niet wat dat zijn... opgejaagd tot een snelheid die tamelijk dicht bij die van het licht komt. Kijk, dat is andere koek, want de massa van die deeltjes neemt nu wel toe. Ze worden veel en veel zwaarder.'

'Zwaarder, goed, jij je zin. Maar ook lichter.'

'Robby, doe me 'n lol! Juist door het aangroeien van de massa wordt het steeds moeilijker zo'n deeltje – zo'n miniatuur Volkswagentje, zeg maar – tot nog hogere snelheid aan te sporen. De lichtsnelheid haalt het niet, en sneller dan het licht is er al helemaal niet bij. En dat is maar goed ook. Stel je voor dat alle materie vroeg of laat de lichtsnelheid kon evenaren... of overtreffen. Dan zou op den duur, godweet, de wereld wel helemaal in licht zijn opgegaan. Je mag dus blij zijn dat van ons tweeën ik degene ben die gelijk heeft. Zwaarte redt de wereld van verdamping tot licht, om het zo maar 's te zeggen.'

Dat laatste – het was eruit voor ik er erg in had – vond ik bij nader inzien nogal aanvechtbaar klinken, maar dat gold niet voor Robby, die met fanatiek schitterende ogen uit zijn hurkhouding opveerde. 'Ja, precies! Zo zou het toch godverdomme ook moeten gaan! Doorjakkeren tot je helemaal van licht wordt!'

Toen begreep ik pas dat hij met zijn 'zwaarder maar ook lichter' niet noodzakelijk iets tegenstrijdigs bedoelde. Met 'lichter' bedoelde hij niet: minder zwaar, hij bedoelde: *meer licht gevend*. Mocht ik iemand die van een rekenfout nog poëzie wist te maken zo'n illusie afnemen? Door de dubbelzinnigheid van een woord was ik van hem... ja, wát op het spoor gekomen, zo iets als een heilsverwachting? In puur licht overgaan, door maar voldoende snelheid te ontwikkelen?

Ik corrigeerde hem niet verder. 'Sorry, ik begreep je verkeerd.' Ik was bereid desnoods elke algemeen aanvaarde theorie de deur te wijzen. Het ging nu om het raadsel Robby. 'Sneller, lichter, akkoord. Maar om ook maar een beetje lichter te worden... ik bedoel, een beetje meer licht uit te stralen... moet je je aantal kilometers wel tot in het uitzinnige opvoeren. Nooit bang 'm te piepen?'

Verderop was iemand bezig – de lucht dreef naar ons toe – benzine uit een blik over de bekleding van de vier autowrakken te gieten.

Robby haalde zijn schouders op. 'Nee, wel bang om 'r niet fatsoenlijk tussenuit te knijpen.'

'Bang om voor je leven invalide te raken, bedoel je?'

'Oh...!' Robby stampte kreunend van ergernis heen en weer langs de waterkant. 'Hoort nou toch 's zo'n intellectueel! Jij snapt ook niks, he, jij? Jij hebt nooit nergens niet van gehoord, he? Nee! nee! en nog 's nee! Ik ben er niks bang voor om de rest van m'n leven met anderhalve poot en een halve kloot in 'n wagentje te zitten. Evengoed lullig, als het zover komt, maar 't heeft er niks mee te maken. 't Is wel een kwestie van in de rats zitten om de pijp uit te gaan, maar 'm tegelijkertijd knijpen om niet... O, stik de moord, hoe zeg je dat nou zo gauw? Jij hebt daarvoor gestudeerd, ik niet. Laat ook maar zitten ook.'

Ze kwamen hem halen om zijn nummer nog eens op te voeren, ditmaal met brandende hindernis. 'Anders wordt het te donker, Rob.' 'Ja, okee.' De motor werd, na wat onduidelijk gemorrel en gesleutel, goed genoeg bevonden voor de sprong. Ik bedankte voor de rol van toeschouwer. Ik zag nog net hoe de vlammen uit de Amerikaanse bakken sloegen. Toen draaide ik me om, en liep terug in de richting van het woonwagenkamp, in mijn trui.

Klinisch dood

In de familie heb ik nooit een bevestiging van mijn vermoedens kunnen krijgen, maar het is niet moeilijk te raden waarom Robert door de gemeente werd gesommeerd de schaftkeet te ontruimen. Het was te veel een buurtwinkeltje geworden, een illegale pillenhandel. Hij bood geen verzet, maar bleek evenmin bereid zich verder van tante Karin te verwijderen. Als nieuwe woning koos hij de garage schuin achter het huis: de auto, vond hij, moest maar buiten voor de deur blijven staan.

Nauwelijks ingericht kreeg hij de politie op bezoek. Volgens tante Karin, later, was het gesprek ongeveer zo verlopen:

'Val dood, jullie. Mag ik hier soms ook al niet zitten? Een mens moet toch ergens kunnen wonen.'

'Dat is niet het doel van onze komst, meneer Egberts.'

'O, nou, wat de rest betreft... voor de honderdduizendste keer: ik heb een paar mensen hier uit de buurt... mensen met bloedarmoede, die heb ik aan wat ampullen met ijzer geholpen. En verders...'

'Ook daar komen wij niet voor, meneer Egberts. Het gaat om uw zoon Robert.'

'Ik weet nergens iets vanaf. Die heeft hier vorige maand de vullesbak door het raam gegooid, de stinkerd. Sindsdien heb ik 'm niet meer gezien. Hij woont nou op z'n eigen, denk ik. Ik weet niet waar ergens.'

'Hinthamerstraat, Den Bosch. Hij heeft een ongeluk gehad.'

'Het zal wel. Om deze tijd van het jaar zit hij midden in de veldfietserij. Daar kan 't ruig toegaan.'

'Een motorongeluk.'

'Ja, in de motorsport zit-ie ook, erg zat.'

'Het is op de openbare weg gebeurd. Bij Sint-Oedenrode. Midden in een file. Hij is over drie, vier auto's heen gegaan.'

'En nou wil-ie dat *ik* 'm kom ophalen. Dat-ie verrekt.'

'Uw zoon is niet bij kennis. In feite is hij door de artsen klinisch dood verklaard.'

Over zijn gedrag trad Karin niet in details, maar ik stel me zo voor dat hij op dat moment een snuivend geluid maakte, met een verachtelijke grijns, waaraan zijn witgevlekte oog niet meedeed. 'Klinisch dood... wat is dat nou weer voor 'n achterlijke uitvinding? Wat kom je me nou eigenlijk vertellen, man?'

(Tante Karin vertelde dat, na de grondeloze put van wanhoop die ze in zich voelde opengaan, het woord 'klinisch' opeens iets geruststellends had. Een soort 'bij wijze van spreken maar niet heus'.)

'Uw zoon is door de artsen in het ziekenhuis opgegeven.'

'Dus klinisch dood is opgegeven, maar opgegeven is nog niet dood... Wat sta je daar nou eigenlijk te lullen, man?'

'Op ons rustte de trieste taak u van het overlijden van uw zoon Robert Egberts op de hoogte te stellen. Aan die taak hebben wij voldaan.'

'Ho! ho! net werd er iets heel anders gezegd. Toen

was het nog klinisch allemaal. Klinisch zus en klinisch zo.'

'Uw zoon is gestorven, gelooft u me.'

'Ik geloof er niks van. Net al niet, en nou nog minder. En sodemieter nou maar op. M'n huis uit. Als ge nog 's wat weet...'

'Rest ons nog u mee te delen dat hij is overgebracht naar het Sint-Josephziekenhuis.'

Hadden de artsen, terwijl zij nog niet met hem klaar waren, terwijl zij nog voor hem vochten, Robby wat al te voorbarig 'klinisch dood' verklaard? Of waren de politiemensen te snel op pad gegaan met hun boodschap, *als* ze die al goed begrepen hadden? Hoe het nu precies zat, de familie zal het wel nooit te weten komen. Zeker is dat de artsen Robby wisten te reanimeren, en dat zijn ouders, toen ze in het ziekenhuis arriveerden, te horen kregen dat hij op intensive care lag. Zijn toestand werd 'uiterst kritiek' genoemd, maar Robert was door het dolle heen.

'Als ik godverdomme zég dat het niet waar is, *is* het ook niet waar. Wat zullen we nou krijgen. Ik ben toch niet gek. Zo iets *voel* je van je eigen jong.'

En hij *haalde* het, de klootzak, zij het op het nippertje. Robby richtte zich weer op, maar niet van het ene moment op het andere – schokje voor schokje. Toen ik hem een paar maanden na het ongeluk in het huis van zijn moeder ging opzoeken (hij was net ontslagen uit het revalidatiecentrum), zat hij in een rolstoel. Zijn gezicht was hier en daar nog korrelig geschonden. Hij maakte veel ophef over de zilveren pinnen in zijn kniegewrichten, alsof het iets chics betrof, sieraden onder de huid. Ach, nou ja, over het zilveren plaatje ('medaille wegens grote verdienste') waarmee door Praagse chirurgen de Oostfrontkogel in het achterhoofd van oom Egbert was afgedekt, had de familie ook heel gewichtig gedaan: hij was ermee begraven, en ik kon me niet aan de indruk onttrekken dat sommigen dat 'zonde' vonden, of zoals ze daar zeggen: 'eeuwig zund van dat zilver'.

Om die metalen schakels in zijn gewrichten en om zijn nog houterige manier van bewegen, werd Robby intussen door vriend en vijand 'Pinocchio' genoemd, waar hij erg trots op was, maar zonder het te begrijpen. Al zo jong had hij, met de grootste ernst en overgave, de volwassene gespeeld dat er van het lezen van kinderboeken nooit iets gekomen was. Ik vertelde hem in het kort iets over Pinocchio. Toen hij daar zijn schouders over ophaalde ('Wâ'ne quatsch!') werd mijn eerste indruk bevestigd: zijn sweater leek over een houten knaapje te hangen in plaats van over met menselijk vlees beklede botten – zo mager was Robby na het ongeluk geworden. Hij maakte er niet veel woorden aan vuil.

'Een file. Een dubbele rij. En daar dan tussendoor willen. Ik vloog over 'n stuk of wat auto's heen. Op zich niks bijzonders, maar ik vergat m'n motor mee te nemen. Die bleef ergens aan 'n bumper hangen. Als je dan neerkomt, mis je zo'n ding toch wel. Vooral de vering.'

Ik suggereerde dat er misschien werd afgedongen op zijn levensvatbaarheid, omdat zijn moeder destijds zo nadrukkelijk onvruchtbaar was verklaard. 'Voorgoed een ongewenst kindje.' We deden wat oneerbiedige uitspraken over dergelijke diagnoses en de lichtgelovigheid van de mensen, en toen maakte Robby die opmerking over de bliksem en de boom ('tot sintjuttemis toe van de leg af'), en dat was dan weer dat.

Omdat we uitgepraat leken, herinnerde ik hem aan ons afgebroken gesprek van twee jaar terug, aan het Helmonds Kanaal. Hij wist alleen nog dat we 'een hartig woordje' over Einstein en de snelheid met elkaar hadden gewisseld (uitlopend op een nederlaag voor mij, volgens Robby), maar kon zich niets herinneren van zijn kwaadheid toen het hem niet lukte zijn eigen doodsangst onder woorden te brengen.

'Je kreeg het niet voor elkaar. Weet je nu meer, na wat er gebeurd is? Je was wel degelijk bang voor de dood, herinner ik me, maar niet buitensporig. Normaal. De echte angst bewaarde je voor iets anders. Of zit ik ernaast?'

'Nou, ik weet wel... op een haartje *na* de pijp uit, daar kun je verslaafd aan raken. Lijkt me behoorlijk ongezond. De moord voor het ziekenfonds ook. Als het op afglijden aankomt... godsamme, ik weet nou hoe dat voelt, daar heeft die couveuse op de intensive care wel voor gezorgd. Ontzettend lekker. Klaarkomen door een rietje bij het gefluit van de vogeltjes. Zo iets.'

'Daarmee zou dan het probleem van de doodsangst opgelost zijn. Afglijden naar de rand is alleen maar lekker.'

'Veels te lekker. Ik vertrouw 't voor geen cent. Het is lekkermakerij, dat is 't. Ik ben veels te bang dat ik op 't laatste moment toch nog m'n poot dwars zet.'

Ineens begreep ik het. Ik begreep het omdat onze angsten uit hetzelfde hout gesneden waren. Het verschil tussen Robby en mij was alleen dat hij meende een oplossing te hebben gevonden, terwijl ik meende er nooit een te zullen vinden. We leden allebei aan een afgeleide doodsangst. De angst voor de dood was bij ons heel behoorlijk, gepast, naar draagkracht om zo te zeggen, maar wat ons werkelijk bezighield was de angst niet te *kunnen* sterven wanneer de tijd daar was. De angst dood te gaan zonder te sterven.

Bij mij was die angst een zekerheid geworden. Nooit zou ik in staat zijn dat finale snikje of hikje of klikje, wat was het, te produceren waarmee een normaal mens zich aan de dood overgaf. Ik zou me – wist ik – tot het uiterste blijven verzetten, maar zonder de triomf van dat verzet te smaken. De dood zou evengoed intreden. Zo werd ik in mijn passieve verzet belachelijk gemaakt. De dood kon het ook zonder mij wel af – niet goedschiks dan kwaadschiks. Ik zou gereduceerd worden tot louter een aanleiding voor een noodzakelijk sterfgeval.

Er werd voor mij gestorven.

Ontspanning zou de dood me al helemaal niet brengen. Niets zou zich openen, niets zich ontsluiten, zelfs de sluitspier van mijn anus niet. De dood zou mij met geweld moeten nemen, als een verkrachter. Hij zou me van achteren bespringen, me overweldigen, tegen de grond drukken, en na een korte, stroeve verkrachting zou hij het lichaam geheel verstrakt in het stof achterlaten. Levenloos, niet gestorven. Geen duim, van wat voor nabestaande of toevallige voorbijganger ook, zou sterk genoeg blijken om mij de ogen te sluiten: onder oogleden van verhard elastiek zouden ze star, als glazen stuiters, open blijven staan.

Zo deed ik Robby die speciale vorm van doodsangst uit de doeken. Ik merkte dat hij elk moment zijn 'quatsch!' over me heen kon striemen; hij hield zich in, en knikte ten slotte, maar met sceptisch getuite lippen. Hij kon het niet met me eens zijn dat het probleem onoplosbaar was, hoewel hij ook niet erg toeschietelijk was met een oplossing. In zijn gemompel kwam het woord 'naadloos' telkens terug. Ik bleef net zo lang trekken tot ik begreep dat hij bedoelde dat het leven absoluut *naadloos* in de dood moest overgaan; alleen dan was onwaardig tegenspartelen uitgesloten.

'Hoe dan, Robby?'

'Ach, hou op. De meeste mensen zijn zo godverrekte langzaam op weg naar hun eind. Ze creperen altijd maar horizontaal, in hun nest. Dan krijg je van die trubbels. Niks naadloos. Eindeloos gezeik en terugkrabbelen. Als je maar snel genoeg gaat, wordt het probleem vanzelf opgelost. Wie hard genoeg gaat, wordt lichter... wordt van licht en... ja, dat is precies de toestand waarin 't naadloos kan, he. Je moet het goed doen. Geen half werk.'

In de namiddag duwde ik Robby naar zijn 'maat', de andere overlevende van het oorspronkelijke driemanschap na het ongeluk op het dak van de bus.

Ik kende hem wel, deze Lex. Hij was het vriendje (geweest, of nog) van een meisje dat, in de tijd van mijn kantoorbaan in Eindhoven, maandenlang elke ochtend bij dezelfde winkel ongevraagd achter op mijn fiets was gesprongen om met me mee te rijden tot aan haar huishoudschool. Juist toen ik me voor die zwijgende ochtendengel begon te interesseren, raakte ze aan dat vriendje, waarna ze al gauw van school wegbleef: ik ben nog lange tijd vergeefs, als een imbeciel, met een schuimrubber kussentje onder de snelbinders langs die winkel gefietst. Vanwege zijn criminele praktijken werd het vriendje door de ouders op de zwarte lijst geplaatst. Het meisje kwam na een mislukte zelfmoordpoging in het ziekenhuis terecht, waar de jongen, ondanks de vrijwel permanente bewaking door de vader en de moeder (die elkaar aflosten), haar in een onbewaakt moment wist te vinden en zelfs kans zag 'een hand op haar blote buik te leggen', zoals een vrouw op dezelfde zaal later aan de ouders wist te melden. Een paar jaar later werd het meisje, net achttien, na een korte opleiding in Zuid-Jemen aangehouden op het vliegveld van Tel Aviv met een koffer vol explosieven, zodat krantelezend Eindhoven zich afvroeg wat die kinderen tegenwoordig toch wel leerden op de huishoudschool. Er was destijds veel over te doen geweest, maar of ze nog vastzat wist ik niet; de jongen was in ieder geval net ontslagen uit de gevangenis waar hij een korte straf had uitgezeten wegens geknoei met amfetaminen, ook een soort explosieven eigenlijk. Hij verzorgde nu de jonge herders in de hondenfokkerij van zijn vader.

'Hee, Lex, laat Albert je uitvinding eens zien,' snauwde Robby.

'Daar staat-ie toch,' snauwde Lex terug. De jongen gaf een schopje tegen een omgekeerd op de grond geplaatste plastic emmer, op de onderkant waarvan een plastic etensbak voor honden was neergezet.

'Nou?' Robby had het tegen mij.

Ik begreep het niet. Uitvinding. Ik zag een emmer op z'n kop staan met een voederbak erop, twee voorwerpen met de bodems tegen elkaar, dat was alles. Zo stapelde een driejarige dingen op elkaar. 'Wat stelt het voor?'

'Daar ben je dan professor voor,' zei Robby, 'om

nooit iets te snappen.' Hij boog zich uit het invalidenwagentje, tilde de emmer op en hield hem vlak voor mijn gezicht. 'De professor denkt: dat staat daar zo maar, voor nop. Los. Nee, niks. Hier, voel maar. Zit hartstikke vast. Aan elkaar gesmolten met de soldeerbout.'

Ik zag nu dat rond de raakvlakken van de emmer en de bak het gesmolten en weer gestolde plastic bobbelig was uitgelopen.

'En waarom? Probeer 't 'm maar aan z'n verstand te brengen, Lex. Hij is zowat professor.' Robby op z'n grimmigst. Of zag ik op zijn bleke, vermagerde gezicht iets trillen van ingehouden plezier?

Van me wegkijkend, schokschouderend, mompelde Lex: 'Die jonge honden krijgen er hartstikke kromme poten van, als ze elke keer uit die lage bakken te vreten krijgen. Bij dit ding hoeven ze tenminste niet door hun poten te zakken. 't Is precies even hoog als hun voorpoten. Ze hoeven hun snufferd maar in de bak te steken. Ze kunnen rechtop blijven staan. En die ouwe vangt er meer voor, als die poten niet zo krom zijn. Voor de kleinere, of voor die wat groter zijn al, heb ik weer andere maten...'

Robby's grijns, tussen spot en trots, maakte dat ik opeens naar heel iets anders stond te kijken dan naar een emmer en een voederbak – naar een sculptuur van vindingrijkheid en poëzie. Een mirakel. Ik begreep nu waarom hij me mee naar zijn maat had genomen.

Met gedoofde lichten

Ze hadden hem al te vaak aangehouden, Robby, dat was 't. Elke controle, zelfs een uit routine, onderging hij als een vernedering. Hij was zo langzamerhand een beroemdheid geworden bij de politie van Eindhoven en omgeving; surveillerende agenten hielden zijn auto met genoegen aan. Robby leed onder zijn roem. 'Stelletje verrekkelingen, jullie moeten altijd *mij* hebben. Ga ook 's op 'n ander.' Tegen een tante, van wie een zoon naar de politieacademie wilde, had hij al eens gezegd: 'Als die van jullie bij de *pliessie* gaat, moet ik 'm niet meer.'

En dan ging het hier toch om een lievelingsneef, met wie hij vaak uit trainen ging, en met wie hij nogal wat wedstrijden had gereden. 'Juten' waren voor Robby een soort opvoeders die hem tot steeds grotere snelheid aanspoorden.

Ze begrepen elkaar verkeerd, de pliessie en hij. Waarschijnlijk hadden ze hem niet eens uit de kroeg zien komen die septembernacht, daar in Budel. Robby geloofde niet meer zo erg in routinecontroles, en toch ging het daar bij die afslag vrijwel zeker om een routinecontrole. Zo stond het trouwens ook in de krant, de volgende dag.

Zijn verbittering over al die eerdere aanhoudingen was natuurlijk maar aanleiding, anders niks; een mooie smoes, meer niet; een geldige reden om zich aan zijn eigen spel, aan de snelheid over te geven. Bij de afslag stond niet de pliessie, maar zijn vader, die heftige gebaren maakte ter aanmoediging.

Zijn maat, die naast hem zat, zal wel niet geprotesteerd hebben toen Robby het stopteken negeerde en vol gas gaf. Zo iets was Robby wel toevertrouwd. Een eigenaardig nieuwigheidje was alleen dat hij ook zijn verlichting uitschakelde, voor en achter. Ik stel me zo voor dat hij er zelf van schrok, van dat gebaar. In een handomdraai doofde hij niet alleen de lichten van zijn auto, maar die van de hele wereld. Van het dorp, waar opeens iedereen naar bed bleek, zodat er geen vensters meer waren om zijn vlucht bij te lichten. Van de provinciale weg, die verderop alleen nog bij de gratie van reflectoren bestond. Van de nacht, die maanloos was en zonder sterren. Van het leven, maar daar had hij nog geen flauw benul van, Robby.

Het kwam er dus op neer dat Robby met die eenvoudige handeling niet alleen zijn auto voor de achtervolger onzichtbaar maakte, maar de hele wereld – voor zichzelf. Goed, eerst waren er nog, om de wereld van onzichtbaarheid te redden, het zwaailicht en de koplampen van de rijkspolitieauto, maar ook die doofde Robby, eenvoudig door sneller te gaan dan zijn belagers.

Wat betekende snelheid nog als er niets overbleef *ten opzichte waarvan* je snelheid kon ontwikkelen? Door het uitschakelen van de verlichting werd Robby's snelheid, hoe hoog opgevoerd ook, plankgas, als het ware opgeheven. Pas als de auto werd ingehaald zou hij, door de aanstormende lampen van de achterligger, zijn tweehonderd kilometer per uur herwinnen.

Robby kon niet meer terug. Hij was er te trots en te eigenwijs voor. Zijn Pinocchiobenen, bijeengehouden door zilveren schakels, bedienden werktuiglijk en vergeefs rem- en gaspedaal. Hij had het gevoel dat hij de pedalen van een orgel bewerkte: ondanks het gierende geluid stond de auto net zo roerloos midden in de nacht als het orgel in een hoge donkere kerk. En als Robby de snelheid (die zelfs niet leesbaar was op het dashboard) al kon *voelen*, dan moest het voelen als een duizeling, waarvoor je ook niet van je plaats hoeft te komen. Nee, de twee jongens, allebei met een zwarte sjerp om, zaten onbeweeglijk tussen vier wielen op de al even zwarte vloer van de nacht.

'Stik nou toch, versterking! Waar halen ze die zo gauw vandaan? Hebben die lui niks anders te doen?'

Uit de richting Eindhoven naderde over een zijweg, met koplampen en zwaailicht, een andere auto van de rijkspolitie.

'Lig niet te lullen, Rob. Trap ze van je bumper, man.'

De wereld werd weer zichtbaar, en Robby kreeg zijn snelheid terug. Zolang als het duurde, tenminste. Nadat hij ook de politieversterking uit Eindhoven moeiteloos had afgeschud, stonden ze weer stil in het aardedonker. Waar waren ze? Ik weet nu uit de krant dat ze inmiddels binnen de gemeentegrenzen van Weert aangekomen moesten zijn, maar voor die jongens was er niets te lezen geweest: geen bord, geen teken, geen woord.

Reflectoren geven niets gratis. Zij belonen licht met licht. Het is een ruilhandel: rood licht tegen wit licht. Gelijk oversteken. Ze willen eerst ontvangen, banaal wit licht en veel ook, voordat ze hun robijnen laten opgloeien in het donker.

Daar op de Boschdijk was een splitsing – niet in werkelijkheid, maar volgens de logica van die nacht. Twee wegen. De weg van het leven maakte een onverwachte bocht naar links. Die misten ze. Natuurlijk misten ze die, want de weg van het leven moet worden bijgelicht – door de zon, door op z'n minst het dimlicht van een auto, door het lantaarntje van Diogenes desnoods... Dus gingen ze zonder gebakkelei rechtdoor, die andere weg op.

'Ro-ob...!'

Plotseling groeide er, hoog opschietend, een boom uit de auto. Hij was met veel geweld van stam en takken in één ruk dwars door chassis en koetswerk van het in de nacht stilstaande voertuig heen gedrongen. Door de kracht van zijn groei lieten twijgjes en blaadjes los, maar nog voor die konden neerregenen op wat er van de auto restte, stoven er met fluitende vleugelslag twee vogels uit de kruin, verschillende kanten op; maar hun kreten waren niet van elkaar te onderscheiden: ze klonken als één schreeuw van angst en triomf.

Niet alleen de jongens met de zwarte sjerpen omhelsden de boom; het blik van het koetswerk had zich als een gewaad, met zilveren biezen en zomen, in theatrale kreukels en plooien gedrapeerd rond de stam, die bloedde – eerst nog kleurloos, als had een hert zich aan de bast vergrepen, tot bleek dat bomen ook rood kunnen bloeden.

Het duurde even, begreep ik later, voordat ze uit mijn radeloze tante Karin de verblijfplaats van Robby's vader hadden losgekregen.

'Hierneven... in de garage. Hij zal wel slapen.' En:

'Breng hem niet hier. Hij doet me wat aan.'

Ze klopten, bonsden op de brede ijzeren tuimeldeur.

'Kaär?' Zo kortte hij haar naam af. Hij snauwde.

'Meneer Egberts? Politie. '

'Godverdomme, wat nou weer? Jullie laten me ook nooit met rust.'

Zo ongeveer moest dat gegaan zijn.

'Kunt u even opendoen?'

'Moet ik daarvoor m'n nest uit komen? De deur is los. Gewoon de kruk omdraaien.' De steekpartij had hem blijkbaar niet voorzichtiger gemaakt.

Daar schoof de garagedeur al richting plafond, en het is niet moeilijk voorstelbaar hoe het tafereel er vanaf de straatkant moet hebben uitgezien. De intimiteit van een slaapkamer waarvan opeens een hele wand is weggevallen. Een man in pyjama, rechtop zittend in bed bij het licht van een schemerlamp. Televisietoestel aan het voeteneind. Karpet op de betonnen vloer. Witgekalkte bakstenen muren.

'O, ouwe bekenden ook nog,' gromde Robert. Hij geeuwde zonder zijn mond te bedekken. 'Vat 'ne stoel, zou'k zeggen.' Behalve de keukenstoel waarover zijn kleren hingen, waren er geen zitplaatsen in de garage. 'Ge doet maar of ge thuis bent.'

'U bent Robert Egberts, de vader van Robert Egberts?'

'O, ik heb er wel meer. Maar nog lang niet zoveel als m'n vrouw.'

'Er is iets met uw zoon gebeurd.'

'Ik dacht al zo iets.' Hij knikte in de richting van het woonhuis, waar het onbedaarlijke gehuil van zijn vrouw uit opklonk.

'Iets ernstigs.'

'O?' Het klonk niet erg geïnteresseerd. 'Kar in de prak... konijn overreden...'

'Meneer Egberts, uw zoon heeft een ongeluk gehad.'

'Nou, da's ook niet voor 't eerst.'

'Wel voor 't laatst, vrezen wij, meneer Egberts. Uw zoon is overleden.'

Wie zou van hem hebben kunnen verwachten dat hij, nog geen jaar na het voorbarige bericht van Robby's 'klinische dood', nu ineens *wel* geloof hechtte aan een dergelijke tijding? Hij werd kwaad.

'Ja, zeg, maak dat de kat wijs. Ga jullie moeder liggen vervelen met die smoesjes. Beginnen jullie weer? Vorig jaar was hij ook al dood. *Klinisch* dan... Het is zeker weer klinisch, he? Ik ken dat nou zo onderhand wel, dat klinische gedoe. Quatsch.'

'Wij vrezen, meneer Egberts, dat de uitslag dit keer definitief is. Uw zoon heeft het niet gehaald.'

Robert sloeg nijdig het dekendek van zich af, en zwaaide zijn benen uit bed. 'Dat zullen we nog wel 's zien. Ik zeg dat het niet waar is. Onze Robby is niet dood. Vorige keer had ik ook gelijk. Hij *is* niet dood. Het kan niet.'

'Wij wensen u alle sterkte om dit verlies te kunnen dragen.'

'Wel, godverdomme... en nou d'r uit! Opgeflikkerd, alletwee! Wat zullen we *nou* krijgen?'

'Hij is niet dood.' Als hij daar zo zeker van was, oom Robert, waarom heeft hij dan de rest van de nacht door de stad gedwaald? Tante Karin, die hem met wat kleren over zijn pyjama had zien weggaan, te voet, is hem later met de auto gaan zoeken. De straten waren nevelig, en de nevel was vol oranje knipperlichten. Zij vond hem in Strijp, waar hij met grote passen, heftig gebarend en hardop pratend, nauwgezet een zebrapad overstak, ofschoon er geen verkeer te bekennen viel. Zij wist dat hij niet aanspreekbaar was. Om zich minder eenzaam te voelen, bleef zij hem met de auto stapvoets volgen; hij merkte het niet. 'Het was of hij een grote hond aan de lijn had,' zou ze later zeggen. 'Zo liep hij.'

Waarschijnlijk om het verdriet geen kans te geven zei ik bij mezelf: 'Komt dat even ongelegen. Mooi istie weer.'

Professor Albert legde bij zijn ouders thuis net de laatste hand aan zijn kandidaatsstof, toen het bericht hem bereikte. 'Verdomme. Uitgerekend nu.' Begin oktober zou ik in Nijmegen mijn kandidaats wijsbegeerte doen, en dezelfde dag nog doorreizen naar Amsterdam, waar ik een dag later al aan het doctoraalprogramma kon beginnen. Een latertje. Mijn boeltje stond ingepakt op mijn vroegere jongenskamer, waar ik die hele zomer onder het dakraam had zitten suffen en werken.

'Ik kan het nu eigenlijk niet aan m'n kop hebben.'

Toch nam ik die zaterdagmiddag meteen nadat ik het gehoord had de stoptrein van Geldrop naar Weert, en liet me de weg wijzen naar de Boschdijk. De plaats van het ongeluk was gauw gevonden. Een omvergereden reflectorpaaltje. Bandensporen. Aarde van olie doordrenkt. Een verwrongen sierstrip. De bloedende boom... Verderop, bijna aan de overkant van de weg, lag een onbeschadigde, glanzend gepoetste wieldop – te ver weg eigenlijk, en te gaaf nog, dan dat hij van Robby's auto kon zijn geweest.

Ik belde aan bij het dichtstbijzijnde huis. Een man deed open.

'Ja, ik ben er vannacht nog wel even uit geweest. Ik werd wakker van de klap. Tegen dat ik in de kleren was, kwamen ze al van de politie. Ik begrijp *nog* niet hoe die zo gauw hier konden zijn... Ja, ik ben wel even gaan kijken, ja. Geen opwekkend gezicht, meneer, dat kan ik u wel vertellen. Bij die jongens zat niks meer op z'n plaats, helemaal niks, echt niet. Van die ene kleefden de tanden hier ergens' (hij plantte de nagels van zijn rechterhand in de groef onder zijn rechteroog) 'aan zijn wang. Als een trosje. Net een schilderij van Picasso, dat hoofd, meneer, het is zonde dat ik het zeg.'

En dat was precies de reden waarom de ouders de lichamen van hun zoons niet meer te zien kregen. Mochten de autoriteiten een confrontatie zo maar weigeren, ook wanneer de vader en de moeder erop *stonden* een blik in de kist te werpen?

Toen ik nog op school ging, reed een klasgenoot van me zich in een weekend dood tijdens een partijtje joyriding. Ondanks ieders pogingen het haar uit het hoofd te praten (waaraan zelfs de vader meedeed, van wie zij gescheiden leefde) zette de moeder alles op alles om het lichaam, dat niets herkenbaars meer had, thuis opgebaard te krijgen. Een specialist in dat soort zaken had het lijk zo goed en zo kwaad als het ging aangeharkt en opgelapt, maar waar geen gezicht meer is, valt geen gezicht terug te geven. Niemand kwam langs. Niemand durfde. Op school, starend naar de lege bank, kreeg ik er schuldige dagdromen van: telkens opnieuw zag ik de eenzame, diepbedroefde vrouw, het wachten op de bel moe, uit haar fauteuil opstaan om in de achterkamer naar haar 'mooie dode' te gaan kijken, en tegen hem te praten.

'...en toch ben ik blij dat ik je niet zo maar heb afgestaan. Ik zou het mezelf nooit vergeven hebben.'

Mogelijk werd in het geval van Robby en zijn maat opening van de kist zó sterk afgeraden dat de nadruk waarmee dit gebeurde door de ouders als een weigering van hogerhand werd uitgelegd. Voor oom Robert was het een teken. 'Zie je nou wel? Wat zei ik? Hij *is* niet dood. Wie er ook in die kist ginder ligt, onze Robby is het niet.'

'Waar zou die dan moeten zijn?'

'Precies, ja. Ik zoek het allemaal uit. Maar één ding weet ik zeker: hij is niet dood. Ook niet klinisch. Hij leeft nog. Net als de vorige keer.'

Robert wierp zich tegen gesloten deuren. 'Ik *moet* hem zien.' Hij schold, uitte dreigementen, maar blijkbaar tegen de verkeerde mensen. De kist bleef dicht.

's Nachts hoorde hij de jongen om hulp roepen.

Een gebloemd stopcontact

Als je het ongeluk hebt in het weekend te sterven, kom je met je advertentie op maandag in de sportregionen, naast foto's van glanzende lichamen vol gezondheid en kracht.

Het nieuws zelf ('*Van een onzer verslaggeefsters*') had de voorpagina van de regionale krant gehaald, maar Robby's overlijdensbericht, dat paradoxaal genoeg ook de naam van de vader vermeldde, stond die maandag tegenover een in zijn triomf wel érg breed grijnzende sportheld, die een reusachtige zilveren amfoor omhoog stak en met de andere hand champagne uit een fles in zijn nek goot. Dit pijnlijke contrast – door een paar van Robby's vrienden, zoals later op de begrafenis bleek, als een nederlaag ervaren – werd enigszins goedgemaakt door het verschijnen van nog een kleinere, anonieme advertentie, die hem meer recht deed.

Je ging zoals je leefde, veel te snel.
Vriend en vijand zullen je missen.

Grote poëzie. De tekst stond ook op het paars afgebiesde lint van de omvangrijkste rouwkrans op de begrafenis. Het scheen tante Karin op de een of andere manier goed te doen (ze raakte er tenminste niet over uitgepraat) dat er zo'n overvloed aan bloemen was.

Kransen groot als vrachtwagenwielen, schaamteloos kruisvormige stukken, complete manden, boeketten die twee armen nauwelijks konden omvademen... Van vriend en vijand. Allemaal mensen die zij, de moeder, niet gekend had.

Ik besefte dat ik 'm voortdurend, in de kerk al, had zitten knijpen voor haar verdriet, dat ik me als iets *verzengends* voorstelde waar je bij uit de buurt moest zien te blijven. Ik merkte dat ik dat vreeswekkende verdriet van haar onophoudelijk inwendig liep te bezweren. Ik keek met haar ogen.

Hier trad, voor de gelegenheid getooid met bloemen en linten, die hele voor haar altijd verborgen gebleven, geheimzinnige wereld van haar zoon aan de oppervlakte, en bij vol daglicht nog wel. Anders dan vijf jaar terug op de begrafenis van Egbert Egberts, rond dezelfde tijd in september, scheen nu overvloedig de nazomerzon: veel vrouwen en kinderen droegen nog zomerkleren. Het was een geruststellende, lichte wereld van mensen die jong en sterk en vitaal waren, gebruind nog van de vakantie, en die zich op een ontroerende manier ongemakkelijk gedroegen nu zij stil en plechtig aan de rand van de open groeven moesten blijven staan.

Ja, of ik wilde of niet, ik zag alles door de ogen van Robby's moeder. Ik dacht met haar mee, nee, ik dwong haar gedachten in een richting waar ze het minste verdriet ontmoetten. Zo wist ik, *voelde* ik (ik stond niet ver bij haar vandaan) dat het hele tafereel op het kerkhof een soort 'negatief' voor haar was: een rijk geornamenteerde, door de zon vergulde portretlijst, die gevormd werd door bloemen en een krans van mooie, jonge mensen. Maar deze lijst, die deed denken aan de versierde kitschharten in Italiaanse kerken, was nog leeg; er waren twee openingen, holten eigenlijk, in uitgespaard, die straks de portretten van de twee jongens zouden gaan bevatten – portretten in een medaillon wel te verstaan, een hoekig medaillon, want niemand zou ze te zien krijgen. Portretten gemaskerd met een deksel.

Tot zover had ik haar gedachten aardig weten te sturen. Het hachelijkst waren de ogenblikken die volgden op het neerlaten van de twee kisten. Nadat het overhangend groen weer teruggeveerd was om de grafkuilen hun hoekigheid te ontnemen, staarden haar uit de bloemen opnieuw die twee zwarte gaten aan, die maar niet gevuld schenen te willen raken.

Vlug! vlug! een reddende gedachte voor tante Karin! Godzijdank... als kind had zij gelogeerd bij haar grootouders in Duitsland, waar zij sliep in een kamer met bloemetjesbehang. Al was het niets opzienbarends, zij zou nooit vergeten hoe het behang *over het stopcontact heen* geplakt was; de gaatjes waren er naderhand in geprikt, wat nog altijd zichtbaar was aan een lichte rafeligheid van het papier... Het was misschien als met flauwvallen bij te hevige pijn: werd de aanblik van iets – een tafereel – onverdraaglijk, dan drong zich als vanzelf een onschuldige associatie op. Zo kon een vers gedolven, dubbel graf, half schuilgaand onder groen en bloemen, in bijna niets veranderen: het beeld van een gebloemd stopcontact.

Ik keek naar tante Karin, en meende haar te zien glimlachen, zo sterk had ik het gevoel dat ik haar gedachten de weg gewezen had.

Toen Robby's kist in de aarde zakte, was oom Robert de enige die niet roerloos toekeek. Ledematen, gelaatsspieren – niets aan hem kwam ook maar een moment tot rust. We waren getuige van een dwangmatig handenwringen, waar niet alleen zijn handen maar al zijn lichaamsdelen aan meededen, elke spier, elke vezel. Wankelend, sidderend, schokschouderend stond hij aan de rand van de kuil, en het was of hij daar een introvert soort dans uitvoerde, met wringend lijf, maar zonder van zijn plaats te komen. Van tijd tot tijd ging, als voor een stap zij- of voorwaarts, zijn ene voet omhoog, maar na een poos zwaaiend op één been te hebben gestaan, zette Robert die voorzichtig weer neer, alsof hij bang was om op tenen of bloemen te trappen. Die nerveuze beweeglijkheid van lijf en leden ging gepaard met een gesnuif dat ik sinds zijn wielerdagen niet meer van hem gehoord had.

Zijn gedrag was des te opmerkelijker omdat hij er zo fanatiek van overtuigd scheen dat niet Robby maar iets of iemand anders in de kist lag, ja, zelfs dat Robby nog leefde. Of was dit het nu... vaderschap? Was de dood van een zoon, en dan ook nog de oudste, iets zo rampzaligs dat de ratio zich met alle mogelijke argumenten, ook de meest ongerijmde, tegen het feit bleef verzetten, terwijl het lichaam de pijn om het ontkende verlies niet wist te onderdrukken? Het lijf danste om een dode, de geest hield hem hardnekkig in leven.

Anders dan bij tante Karin wist ik mijn oom geen verzachtende gedachten op te dringen. Ik deed er ook niet mijn best voor. Integendeel, ik hoopte erop dat Roberts fysieke pijn zijn kop voldoende helder zou maken om op de gedachte te komen dat Robby papa's lesje wel wat erg gezagsgetrouw in de praktijk had gebracht.

Eind september, en zon in overvloed, maar nergens weerborstels die erdoor aan het wentelen gebracht konden worden; alle kinderen op wier kruintjes ik neerkeek, ook de jongetjes, droegen het haar lang. Ik moest *nu*, ter plaatse, een discipline tegen het verdriet ontwerpen. Nee, niet uitstellen. Nu. Hier, bij de open groeve. Voor de dag ermee.

Och, meestal was er niets aan de hand. Dan leek alles – elke daad, elk motief, elke uitspraak – moeiteloos tot egoïsme, eigenbelang, sexueel voordeel, neiging tot sadisme of gewoon haat herleid te kunnen worden. Geruststellende ontmaskering. We wensten door het jaar heen zoveel mensen het graf in, of op z'n minst het ziekenhuis, dat we er met een gerust hart aan mochten twijfelen of we nog wel oprecht zouden kunnen treuren om een dode uit de naaste omgeving. Zo niet, mooi meegenomen, want verdriet doet pijn, en is nog onvruchtbaar ook.

Te vroeg gejuicht. Verdriet, gesteund door de angst voor verdriet, blijkt een vasthoudende klant. Het overleeft elke ontmaskering. We zijn het slachtoffer van onze eigen halfheid. Als we zo uitzinnig bang zijn iemand te verliezen (of liever, als we lijden aan de – allerminst onbaatzuchtige – angst voor toekomstig verdriet dat ons hart bedreigt), waarom onszelf dan niet, in plaats van ons te vermoeien met ontmaskeringen, juist *gehersenspoeld* met de stelling 'liefde bestaat niet, alles is egoïsme en kwelzucht, de doden laten ons koud'? Dan zouden we op de goede weg zijn, want nog maar een stapje verwijderd van de bevrijdende conclusie: 'de doden zijn door ons gewenst'. Ja, zo zou onze discipline eruit moeten zien: onverschillige, cynische, hatelijke, sadistische gevoelens en houdingen ontwikkelen jegens wie ons na staan (*te* na staan), wie ons lief zijn (*te* lief zijn) – dat alles om toekomstige smart op voorhand uit de weg te ruimen. Verdomd! ik noemde het meteen maar De Discipline Van Het Geslechte Verdriet. Iets om octrooi op aan te vragen... om wettig te deponeren...

Lieve jongen. Arme jongen.

Na afloop geen ouderwetse Brabantse koffietafel met de troost van jenever; gewoon condoléances en een broodje kaas in de aula. Een familielid was bij het handjeschudden zo ongelukkig te vragen: 'Hoe is 't er nou mee, Rob?'

'Ja, hoe zal 't ermee zijn! Prima! Uitstekend, toch! Kan niet beter! Dat merk je toch wel...!'

Dezelfde heftigheid van vroeger. Even leek hij op de verbitterde, woedende vader die zijn zoon is kwijtgeraakt, en dat had iets navrant geruststellends. Maar al gauw begon hij, met in zijn mond de helft van een broodje ham waarvan hij zich waarschijnlijk niet realiseerde een hap te hebben genomen, breed armzwaaiend opnieuw zijn komplottheorieën te ontvouwen. 'Dat we 'm niet hebben mogen zien... Ik heb nou al spijt dat ik die stinkkist niet gewoon heb opengebroken. Iets klopt er niet aan. Ik ga alles uitzoeken. Van haver tot klaver. D'r was met onze Robby meer aan de hand dan jullie denken. Eén ding weet ik alvast zeker: dood is-ie niet. De vorige keer had ik 't ook bij het rechte eind. Hij leeft nog, dat strijdt niemand me af. Niemand niet.'

Niemand sprak hem tegen.

'Hij is niet rustig,' zei een tante hoofdschuddend. 'Hij is helemaal niet rustig.'

'Nee, hij is niet rustig.'

'Hij is niet rustig, nee.'

Ook na de begrafenis hoorde Robert Robby 's nachts nog regelmatig om hulp roepen – een bewijs te meer dat de jongen nog leefde; hij kon er alleen niet bijkomen. Robert begon aan slapeloosheid te lijden. Hij probeerde het met een verhuizing: weg, weg uit die garage, waarvan de muren nog weergalmden van het verzonnen onheilsbericht.

Toen mijn ouders hem een paar maanden na de begrafenis in het centrum van Eindhoven tegenkwamen, was hij in gezelschap van een nieuwe vriendin, die hij zei van de vallende ziekte te hebben genezen.

'Ik heb speciale gaven. Ik merkte dat voor 't eerst toen ze me anderhalf jaar terug kwamen vertellen dat onze Robby dood was. "Niet waar," zei ik. Want met een soort oog van binnen zag ik dat het niet zo was. En het *was* niet waar. Zo heb ik het ontdekt, van die speciale gaven.'

Hij kondigde aan 'een nieuw proces' tegen de politie te zullen aanspannen, want volgens zijn laatste bevindingen ('een hele uitzoekerij nog') hadden ze Robby tijdens de achtervolging 'doodgeschoten', omdat hij 'flink wat geld uit Monte Carlo' bij zich droeg.

Van Karin hoorde mijn moeder dat Robert nog vrijwel dagelijks op bezoek kwam, om haar vaak al tussen het eerste en het tweede kopje koffie ook een aandeel in 'de moord op onze Robby' in de schoenen te schuiven.

'Hij is niet rustig,' besloot mijn moeder haar relaas.

Ondertussen was de zestienjarige Benny, die nog bij zijn moeder woonde, al aardig in de voetsporen van zijn overleden broer aan het treden. Iemand had hem gesignaleerd achter het stuur van een 'geleende' tractor; maar dat ging hem blijkbaar niet snel genoeg allemaal, want vervolgens was hij bijna verdronken toen een sprong per crossmotor over de Dommel mislukte en zijn voet tussen twee onderdelen van het frame bekneld raakte.

Hoe ik het ook wendde of keerde, ik bleef zitten met een angstig soort naijver jegens Robby. Hij had het 'm toch maar gelapt, de klootzak. Nu het hem zo naadloos gelukt was, raakte ik er helemaal van overtuigd dat ik moeizaam – onvolledig – aan mijn eind zou komen.

Mogelijk werd ik door mijn angst voor de treuzelarij, straks, beschermd in mijn huidige bestaan: wie levenslang bevreesd is niet goed genoeg te kunnen sterven, wordt misschien wel heel oud – zo oud dat het probleem zich op die leeftijd niet meer in de oorspronkelijke mate voordoet. Het kon geen kwaad het daar maar op te houden.

Het niemandsmoment

Ik ben nog niet klaar met hem. Er ontbreekt iets aan zijn portret.

Ik heb er de krantefoto nog eens bij gehaald, maar niet vanwege het scherpzinnige onderschrift ('*Er bleef weinig over van de auto waarmee twee Eindhovenaren de politie probeerden te ontlopen*' – ja, allicht, ze zouden niet schrijven dat er van die twee Eindhovenaren zelf 'weinig overbleef'; dat konden ze hun abonnees niet aandoen bij de boterham met aardbeienjam 's ochtends. Wel de vleesmolen, niet het gehakt, dat is pas discreet). Nee, er was in mijn herinnering iets blijven hangen van druipend wier alsof ze de verongelukte auto uit het een of andere water hadden moeten optakelen, hoewel er bij mijn weten geen sloot of ven of kanaal in de buurt was, zelfs geen regenplas. Maar toen ik de wazige nachtfoto eens goed onder de loep nam, moest ik wel tot de slotsom komen dat het brede stralen bloed waren die daar zo overvloedig uit het motorblok over bumper en kentekenplaat liepen. Dan moesten Robby en zijn maat zich dus, in een dodelijk soort symbiose, met die motor verstrengeld hebben. 'L'homme machine', dat was *altijd* de dood.

Bij het bestuderen van de foto viel het me bovendien op, het was maar een kleinigheid, dat van het linker voorwiel de dop ontbrak.

De joyrider die door zijn moeder, tegen ieders afraden in, thuis werd opgebaard, had zich 's nachts te pletter gereden tegen een lichtmast. Dat had in zekere zin nog iets fairs, iets van een eerlijke kans. Het was in elk geval heel iets anders dan de volstrekte duisternis waarin Robby te grazen werd genomen: een boom geeft geen licht. Onverzettelijker ook, die boom van Robby; holle onderdelen van de gevelde lichtmast vielen van flinke hoogte luid galmend op het wegdek neer (waarna de auto, of wat ervan restte, rakelings langs een bushalte, in een moestuin terechtkwam, afgeremd door de omheining). Omwonenden dachten eerst nog dat een vrachtwagen met lege biervaten in een slip was geraakt en een deel van zijn lading had verloren, want zo klonk het.

Dit dreunend geweld als slotakkoord van een leven is me te primitief, te theatraal; om dat van Robby uit te luiden heb ik subtielere muziek nodig, voor minder doe ik het niet. 'Symbolen worden tot cymbalen in de ure des doods' zegt de dichter, en niet de geringste. Nu ik de foto terugzie, het ontmantelde wiel, krijg ik grote lust om eens te kijken of die regel ook omkeerbaar is.

Stel je voor, van het ene ondeelbare moment op het andere verandert een gave, gestroomlijnde auto met inhoud en al in een wrak, in een samengeknepen prop van blik, vlees en botten – en door het geweld waarmee dat gebeurt, springt met grote kracht een wieldop los. Ik heb door de jaren heen heel wat auto's gezien, van buiten en van binnen, duizenden, maar op grond van dat gefotografeerde stuk schroot zou ik niet kunnen zeggen in welk merk auto Robby zijn laatste rit maakte. Ik heb het ook niet nagevraagd. Ik weet alleen dat het er een (je ziet ze steeds minder) met glanzende wieldoppen was, door Robby wekelijks tot spiegels gewreven. Stel je voor, niets dan schroot, en daar schiet dan met de snelheid van een kogel een volstrekt gaaf gebleven, verchroomde schijf uit los. Perfect van vorm: absoluut rond; geen krasje, geen deukje, niets.

Ik hou er niet zo van meteen de hele Olympus erbij te slepen, maar het *moet* een godenhand zijn geweest die deze discus wierp: na een korte, suizende tocht door de nachtlucht landde hij met een boog op het zojuist abrupt door de auto verlaten wegdek. Hij had vrij baan. Na een keer of wat vederlicht te zijn gestuiterd, overigens zonder zijn vorm te verliezen, rolde de dop met een onbegrijpelijke vaart de gemiste bocht door, in de richting die Robby had moeten gaan om de boom geen kans te geven. In een kaarsrechte lijn raasde hij, met een geluid scherp en zingend, voort over het asfalt. Een gevleugeld wiel, zoals we dat van de plaatjes kennen.

Toch, hoe hard hij ook rolde, die dop, ten langen leste moest hij het afleggen tegen de wrijving veroorzaakt door het wegdek. Hij minderde vaart, week van zijn rechte lijn af, kruiste de witte streep, en begon ten slotte te kantelen – maar zonder zich meteen gewonnen te geven. Een eindeloos lijkende draai op de plaats zette in, die deed denken aan sommige dansen waarbij de danser, nu eens zijn benen dan weer zijn tors horizontaal rondzwaaiend, met zijn hele lichaam zo dicht mogelijk aan de grond blijft. De wieldop tolde rond met groot geraas, dat aanzwol naarmate hij, met zijn bolle kant omhoog, zich dichter tegen de aarde aan drukte. Een langgerekte bekkenslag in de stilte van de nacht.

Het zingen van de cimbaal ging met horten, die elkaar sneller en sneller opvolgden, in een dolmakend, slissend ritme. Maar het geluid raakte steeds meer gesmoord – door de wieldop zelf, die op 't eind, zonder nog noemenswaard te draaien, trillend op het asfalt lag, en als een stolp zijn eigen klankkast afsloot.

Het was van hemzelf, van Robby, dit bekkengeruis. In de laatste momenten van zijn leven, met een enkele greep en een eenvoudige voetbeweging, in het volstrekte donker gecomponeerd, en over de dood heen door het instrument autonoom uitgevoerd. Bestaat er in de muziek zo iets als een objet trouvé? Er was geen hond om naar zijn slotakkoord te luisteren. Als we nu onze ogen dichtdoen, en ons in die stikdonkere nacht neerlaten, kunnen we hem alsnog een publiek bezorgen.

Toen de wieldop alle geluid en beweging uit zich geschud had en eindelijk stillag, werd hij een door oogknipperen weggesprongen traan, bol en zilverig rustend op het tafelblad. Een traan die alles had kunnen weerspiegelen, de dramatis personae ter weerszijden van de tafel, de geheven vuist, het huilende gezicht, alles, het hele drama... ware het niet dat alles zich in het aardedonker afspeelde, zodat er niets, niemendal te weerspiegelen viel, zelfs geen scheur in het plafond.

Niets te zien, niets te horen. Ja, toch: verderop, aan de in verwrongen blik geschoeide voet van een boom, daar drupte iets op de dorre bladeren, heel zacht, voor niemand hoorbaar, behalve voor ons zolang we onze ogen stijf dicht houden. Het was het bijna lieflijke moment tussen de bominslag, de verklonken explosie zeg maar, en de eerste kreet van een dodelijk geschrokken wereld. Het niemandsmoment, zoals ik het maar noem, waarin het de zielen is vergund hun biezen te pakken en stilletjes die smeerboel van uiteengereten lichamen te verlaten.

Wie niet weg is, is gezien, en het was alweer voorbij, dat dromerige niemandsmoment; in de verte klonk al het gekrijs, het geloei van de achtergebleven wereld, en niet zo zuinig ook. De sirenes van maar liefst drie politieauto's, op verschillende sterkte. 'Stik te moord,' zou Robby gezegd hebben, 'daar kommen de juten.' Wij zeggen het hem zo goed mogelijk na, in dat wat snauwerige Eindhovens van hem. ('Stik nou toch de lamp an!' zei hij ook wel, wanneer hij in een eufemistische bui was.) Pas toen begon er in het chroom van dat nachtblinde oog iets te vonken: een blauwe zwaailamp. En al gauw nog zo een. En opeens was er licht in overvloed: zwaailampen, koplampen, en ook zaklantaarns in de handen van uitstappende politiemannen. Het oog liep vol, zag alles, weerspiegelde alles, trok alles naar zich toe, de hele omgeving, de complete handeling. Nerveus blauw geflakker, uniformen, rondmaaiende stralenbundels, een bloedende boom... alles vervormd samengetrokken in de bolle spiegel. Als we goed toekijken zien we hoe de lichtbundels uit de zaklantaarns, geaccentueerd door een lichte neveligheid, recht en meedogenloos van alle kanten dwars door het autowrak gestoten worden: ze doen ons denken aan evenzoveel blikkerende degens die de illusionist en zijn helper door de mand steken waarin een dubbelgevouwen slangemens zit opgesloten.

Nog veel meer viel er die nacht te weerspiegelen voor de onopgemerkte wieldop. De lichten van de ziekenwagen... blauw, rood... het spookachtige wit van de broeders... Dat het woord AMBULANCE, bij aankomst en vertrek, gewoon leesbaar over het chroom gleed, zou ons hebben kunnen verwonderen als we niet wisten dat het, met het oog op de achteruitkijkspiegels van de automobilisten, al in spiegelschrift op het front van de ziekenwagen stond. Mannen die een licht soort brandweerhelmen droegen zorgden met hun fosforescerend roze kielen voor een caleidoscopische werveling in de wieldop. Totdat in de vroege, nog donkere ochtend een fijne dauw over het chroom kwam te liggen, waardoor het mat werd en alles wat zich ter spiegeling aanbood tot onherkenbaarheid opzoog. De oranjegele zwaailamp van de takelwagen die het wrak vervoerde, werd bij het langsrijden nog maar flauwtjes weerkaatst in de beslagen spiegel.

Als ik er zo met mijn ogen dicht op neerkijk, op dat matglanzende koepeltje waar een okeren licht over strijkt, herken ik Robby's gemillimeterde schedel, waarop lang geleden bij het geflakker van een kaarsvlam in al hun tegendraadse glorie de weerborstels zichtbaar werden.

Hij is niet dood.

Verantwoording

De novelle *Weerborstels*, ofschoon als 'Een intermezzo' aan 'De tandeloze tijd' toegevoegd, vormt een zelfstandig verhaal en laat zich geheel los van deze romancyclus lezen. Voor de lezers van de cyclus valt *Weerborstels* te situeren tussen het tweede deel, *De gevarendriehoek*, en het nog te verschijnen derde.

A. F. Th. van der Heijden   Amsterdam, najaar 1991

Ander werk van A. F. Th. van der Heijden

**Een gondel in de Herengracht* (verhalencyclus, 1978, Anton Wachterprijs 1979)
**De draaideur* (roman, 1979)
***De slag om de Blauwbrug* (De tandeloze tijd Proloog, roman, 1983)
Vallende ouders (De tandeloze tijd 1, roman, 1983)
De gevarendriehoek (De tandeloze tijd 2, roman, 1985, F. Bordewijkprijs 1986 en Multatuliprijs 1986)
**De sandwich* (Een requiem, roman, 1986)
Het leven uit een dag (roman, 1988)
Advocaat van de hanen (De tandeloze tijd 4, roman, 1990)

In voorbereiding

Sneeuwnacht in september (De tandeloze tijd 3, roman)

*Salamander
**Salamander, tevens gebonden

Omslagontwerp: Toni Mulder
Zetwerk en druk: Drukkerij Tulp B.V., Zwolle
Bindwerk: Bindgroep Groningen B.V.